Le secret de Kim

Elizabeth Benning

Traduit de l'anglais par
BRUNO GUÉVIN

Données de catalogage avant publication (Canada)

Benning, Elizabeth

Le secret de Kim

(Un jour à la fois)
Traduction de : Losing David.
Pour les jeunes de 12 à 14 ans.

ISBN 2-7625-8047-1

I. Titre. II. Collection.

PZ23.B455Se 1995 j813'.54 C95-940932-7

Dépôts légaux : 3e trimestre 1995
Bibliothèque nationale du Québec
Bibliothèque nationale du Canada

ISBN : 2-7625-8047-1 Imprimé au Canada

LES ÉDITIONS HÉRITAGE INC.
300, rue Arran, Saint-Lambert (Québec) J4R 1K5
(514) 875-0327

L'auteure souhaite exprimer sa gratitude à Roberta Williams, infirmière diplômée ; Patricia J. Stark, infirmière diplômée ; Rosa Lee Fabricius, Ben Young et The Desert AIDS pour leur aide précieuse dans la préparation de ce texte.

À Eric et Betty Young,
deux personnes très spéciales.

Note de l'éditeur

Cette histoire et les situations qu'on y décrit, ainsi que les noms des lieux et des personnages sont absolument fictifs. Toute ressemblance avec la réalité serait une pure coïncidence.

CHAPITRE 1

Le centre commercial de Somerval était envahi par une foule de clients venus pour profiter des soldes du lendemain de Noël ou pour échanger des cadeaux. Jouant des coudes au milieu d'une bande de jeunes turbulents, mes parents m'encadraient en formant un écran de protection de leurs bras chargés de sacs, comme deux gardes du corps qui protègent une vedette de cinéma.

— Ces ensembles te vont vraiment bien, Kim, a dit ma mère, un peu essoufflée. Je pense qu'on a fait de belles trouvailles.

— Moi aussi, maman, ai-je dit en essayant de mettre un peu d'enthousiasme dans ma voix.

Mais, en réalité, mes vêtements et mon apparence ne m'intéressaient pas vraiment depuis un certain temps.

— J'espère seulement que je vais arrêter de maigrir, ai-je dit. Sinon, je vais encore avoir l'air de flotter dans ces vêtements, comme dans les autres.

— Que diriez-vous d'une coupe de crème glacée avec du caramel chaud avant de rentrer à l'appartement ? a demandé mon père.

— Euh… oui, ai-je répondu.

L'idée d'une crème glacée me donnait un peu mal au cœur, mais mon père avait l'air si content que je ne voulais pas le décevoir.

— Je crois qu'on devrait rentrer, a dit ma mère. Kim a l'air fatiguée.

— Non, attendez, ai-je répliqué. Je pense qu'il y a une patinoire, là-bas. On va aller voir.

Mes parents n'ont pas eu le temps de me retenir. J'ai suivi un groupe de jeunes jusqu'à ce que je cherchais : une belle grande patinoire, plus grande encore que celle de Clermont. Je me suis appuyé les coudes sur la clôture pour regarder les patineurs et j'ai senti le froid familier et agréable qui montait de la glace.

— J'aimerais tellement être avec eux !

Je me suis retournée et j'ai vu une fille à peu près de mon âge.

— Mais ça serait plutôt difficile avec ça.

Elle a souri en me montrant une paire de béquilles, puis m'a demandé :

— Et toi, tu patines ?

— Oui, ai-je répondu en détournant les yeux.

Elle avait l'air sympathique, mais je savais trop bien ce qui se passerait si on devenait amies. Elle apprendrait la vérité à mon sujet, et elle me traiterait de la même façon que les autres.

Pendant que je regardais les patineurs, je revoyais la patinoire de Clermont décorée de ballons et de guirlandes pour mes quatorze ans. Papa l'avait louée pour deux heures, mais personne n'était venu, sauf Juliette et Sophie, mes meilleures amies.

— Où est passé tout le monde ? avais-je demandé.

— Ils sont au courant, avait murmuré Juliette en évitant mon regard. Je suis désolée, Kim.

Tout en retenant mes larmes, je m'étais penchée pour ramasser à tâtons mes patins que je venais de laisser tomber. Sophie avait eu la même idée. Quand nos mains se sont touchées, elle a eu un brusque mouvement de recul. La colère m'a vite envahie.

— Du calme, Sophie. Tu ne vas pas attraper le sida juste en me touchant.

— Excuse-moi, Kim. Je ne voulais pas... avait-elle dit, écarlate, en baissant les yeux. C'est que ma mère ne veut pas que je reste. Je suis seulement venue t'apporter mon cadeau.

La gorge serrée, j'essayais de retenir mes larmes.

— Je pensais que tu étais mon amie.

— Kim... avait commencé Sophie.

Mais je l'avais interrompue.

— Laisse tomber et va-t'en. Et tu ferais mieux de partir, toi aussi, Juliette. Je pourrais te contaminer.

J'avais couru m'enfermer dans les toilettes. Je ne voulais plus voir personne de toute ma vie.

— Kim ? Est-ce que ça va ? Tu trembles.

La voix de ma mère me ramenait à la réalité. Je me suis retournée et j'ai vu que la fille aux béquilles me regardait d'un air bizarre.

— Oui, ça va, ai-je répondu. Écoute, maman, j'aimerais bien patiner un peu.

— Mais tes patins ne sont même pas déballés. Et puis ce n'est pas une bonne idée ; tu risques de te fatiguer.

J'ai jeté un coup d'œil vers la fille qui faisait semblant de ne pas écouter.

— Maman, ai-je dit tout bas, j'aimerais que tu arrêtes de me traiter comme une enfant.

— Ma chouette, tu sais à quel point tu es fatiguée, ces derniers temps.

— Je vous promets de ne pas exagérer, ai-je répliqué en cherchant le support de mon père. S'il vous plaît, je n'ai pas patiné depuis… depuis mon anniversaire.

— Je regrette, Kim, mais ta mère a raison. Le déménagement nous a tous épuisés.

— Quand tu seras plus forte, tu pourras patiner, a tranché ma mère en regardant sa montre. De toute façon, il est trop tard. Tu as rendez-vous à deux heures au Manoir de l'Espoir, et le temps que tu loues des patins et…

J'ai pris ma mère par le bras et je me suis éloignée de la patinoire en souhaitant que la fille n'ait rien entendu.

— S'il te plaît, maman, ne parle pas de cet endroit ici, ai-je chuchoté. Je croyais qu'on devait garder tout ça secret.

— Voyons, mon chou, le Manoir de l'Espoir est pour les jeunes qui ont toutes sortes de maladies et de problèmes. Pas juste… pour ceux qui ont ta maladie.

Chaque fois qu'elle le pouvait, ma mère évitait

de prononcer le mot sida ou l'abréviation VIH qui désigne le virus à l'origine de cette maladie.

— Tu vas adorer le manoir, Kim, a-t-elle continué. Hier, je suis passée devant, en auto. C'est une vieille maison victorienne qui a été rénovée, avec des tours et des pignons, des vitraux et plein de moulures.

— Je me fiche de la maison et je ne veux pas rencontrer de conseillère.

Je savais que je me conduisais comme une enfant de quatre ans, mais c'était plus fort que moi. J'étais terrifiée à l'idée d'aller au Manoir de l'Espoir.

En silence, on est entrés dans le bar laitier et on s'est installés à l'écart.

— Écoute, ma chouette, a dit papa, tu sais bien qu'on est déménagés à Sommerval pour que tu puisses avoir de l'aide. Depuis qu'on a appris que tu es séropositive, tu es rentrée dans ta coquille. Tu refuses même de voir tes amies.

« Quelles amies ? me suis-je demandé. Je n'ai pas une seule amie. »

— Comme tu ne manges plus, tu n'arrêtes pas de maigrir, a-t-il poursuivi. Tu ne veux même plus sortir de ta chambre. Il a presque fallu te traîner jusqu'ici pour t'acheter des vêtements, et ça ne te ressemble pas du tout. Courir les boutiques ne t'a jamais fait peur, avant.

Il a ébauché un sourire.

— Allez, s'il te plaît, accepte de voir cette conseillère au moins une fois.

Je fixais mes mains, me sentant coupable. Mes parents avaient dû renoncer à tant de choses à cause de moi. Quand les gens, à Clermont, ont appris que j'avais le virus, non seulement ils m'ont fuie, mais ils ont évité mes parents aussi. Maman, qui était caissière dans une épicerie, a perdu son emploi, et mon papa a perdu peu à peu les clients de son cabinet de comptabilité. Alors, on est venus s'installer à Somerval, à trois heures de route de la ville où ils avaient passé toute leur vie. Maintenant, à cause de moi, ils étaient forcés de repartir à zéro.

Je ne voulais pas leur rendre les choses plus difficiles encore. Je ne voulais pas les blesser. Mais pourquoi fallait-il aller au Manoir de l'Espoir ? Qu'est-ce que ça me donnerait de voir une conseillère ? J'allais mourir, de toute façon.

Une demi-heure plus tard, mon père stationnait devant une vieille maison de trois étages. Le toit de la maison et les arbres qui l'entouraient étaient couverts de neige. On aurait dit un paysage de carte de Noël.

— Est-ce que tu viens avec moi ? ai-je demandé à mon père.

— Non, a-t-il répondu en hochant la tête. La conseillère a bien précisé qu'elle voulait te voir seule. Je reviendrai te prendre dans une heure.

Je suis descendue de l'auto.

— Fais attention, le trottoir est peut-être glissant.

— Tu oublies que je suis une patineuse, papa, lui ai-je dit avec un sourire que j'espérais enjoué.

Je me suis dirigée rapidement vers l'entrée. Sur la porte, un écriteau m'invitait à entrer. « Allez, Kim, courage ! » J'ai inspiré à fond et je suis entrée.

À ma grande surprise, la maison était claire et gaie. Dans une salle à ma gauche, des jeunes faisaient une partie de scrabble autour d'une table. D'autres étaient assis par terre, devant la télé, et jouaient à des jeux vidéo. Ils n'avaient pas l'air malades. Je me suis dit qu'ils devaient être des visiteurs.

Il n'y avait personne à la réception. Je suis restée plantée là pendant un certain temps, me sentant comme une petite fille qui cherche sa classe le jour de la rentrée.

Finalement, un garçon s'est approché. Il était beau et grand, il avait les cheveux bruns et il avait quinze ou seize ans.

— Salut ! Est-ce que je peux t'aider ?

— J'ai rendez-vous avec madame Sergerie.

— Exact. C'est toi qu'Andrée doit rencontrer à deux heures. Tu es Kim Robert.

J'ai eu l'impression qu'on me donnait un coup dans l'estomac. Je n'aimais pas du tout l'idée qu'il sache mon nom. « Qu'est-ce qu'il sait d'autre à mon sujet ? » me suis-je demandé.

Il m'a souri.

— Je m'appelle David Richard. Je travaille ici comme bénévole. Andrée m'a demandé de te prévenir qu'elle avait dû se rendre à l'hôpital. Elle sera un peu en retard.

Je me suis sentie soulagée.

— Bon, dans ce cas, je vais rentrer chez moi,

lui ai-je dit. Est-ce qu'il y a un arrêt d'autobus près d'ici ?

— Oui, à deux rues d'ici. Mais Andrée ne devrait pas tarder. Tu peux l'attendre si tu veux ou bien, euh... il y a une réunion du groupe de soutien, dans quelques minutes, si ça te tente.

— Un groupe de soutien ? Pourquoi ?

— Pour parler de nos problèmes, tu sais.

— Eh bien, moi, je n'en ai pas, ai-je répliqué vivement.

— Ah ! vraiment ? a-t-il dit en me regardant. Tu as de la chance, a-t-il ajouté calmement.

J'ai rougi. « Génial comme réponse, Kim ! Pourquoi viens-tu voir une conseillère si tu n'as pas de problèmes ? » Je me suis éclairci la voix.

— Hum... Merci. Je pense que je vais attendre.

— Parfait.

Puis, je ne sais pas pourquoi, il m'a souri encore une fois. Je n'ai pas pu m'empêcher de lui rendre son sourire. « Il est vraiment beau, ai-je pensé. Un peu trop pâle, peut-être, et trop maigre pour sa taille. »

— Je ne t'ai jamais vue ici, a-t-il repris. Est-ce que tu vas à l'école secondaire de Somerval ?

— Je viens d'arriver. Je commence mes cours lundi.

Je ne sais pas si c'était à cause du retour en classe ou du virus, mais j'ai eu froid tout à coup. Malgré la chaleur de la maison, j'ai relevé le col de mon manteau.

— Eh ! tu frissonnes ! a remarqué David. Veux-tu un chocolat chaud ? Madame Bradette a l'habitude d'en préparer quand il fait froid.

— Non, merci.

La crème glacée que j'avais péniblement avalée au centre commercial m'était restée sur l'estomac.

— Écoute, je ne veux pas te retarder dans ton travail. Je vais prendre un magazine et attendre quelques minutes.

— D'accord, a dit David en hésitant, comme s'il craignait que je disparaisse dès qu'il aurait le dos tourné.

Il m'a amenée dans une grande pièce confortable où un feu brûlait dans l'immense cheminée.

— Les magazines sont là. Fais comme chez toi.

— Je me demande comment je pourrais me sentir chez moi dans un endroit pareil, ai-je marmonné.

— Beaucoup de jeunes y parviennent, a-t-il répliqué, un peu sur la défensive. Le Manoir de l'Espoir est drôlement mieux que l'hôpital.

Il s'est arrêté un instant et m'a regardée avant d'ajouter :

— Je suis bien placé pour le savoir.

Je l'ai fixé sans comprendre.

— Je suis leucémique, a-t-il dit tranquillement. Je suis à la fois un patient et un bénévole.

J'ai senti que je rougissais jusqu'aux oreilles. « Félicitations, Kim, tu viens de te surpasser. »

— Je suis désolée, ai-je bafouillé.

Abandonnant les magazines, j'ai foncé aveuglément vers la porte et je me suis précipitée dans le froid.

La neige commençait à tomber à gros flocons. Les mains au fond des poches et la tête courbée contre le vent, j'ai marché rapidement jusqu'à l'arrêt d'autobus. J'étais en train de consulter les cartes pour voir quel autobus je devais prendre quand j'ai entendu klaxonner. Je me suis retournée et j'ai vu mon père qui s'arrêtait le long du trottoir. Il s'est penché pour m'ouvrir la portière.

— Allez, monte vite.

Je me suis engouffrée dans la chaleur de l'auto et j'ai claqué la portière avec soulagement.

— Qu'est-ce que tu fais ici à cette heure ? lui ai-je demandé.

— Je n'arrêtais pas de penser à toi. Et puis ça ne valait pas la peine de rentrer à la maison pour en revenir aussitôt. Alors, j'ai fait le tour du quartier.

Il m'a jeté un coup d'œil.

— Mais toi, Kim, qu'est-ce que tu fais ici ?

— La conseillère n'était pas là. J'en ai eu assez d'attendre et j'ai décidé de rentrer en autobus.

Ce n'était pas tout à fait vrai, mais ce n'était pas non plus un mensonge.

— Tu aurais dû attendre au chaud, à l'intérieur.

— Tu deviens pire que maman, lui ai-je dit. Elle a toujours quelque chose à me reprocher.

— Je sais, a-t-il soupiré en me regardant.

— Écoute, papa, vous devez tous les deux arrêter de me couver comme un bébé. Tu veux en parler à maman ? Avec elle, j'ai l'impression d'être complètement invalide.

Il n'a rien dit pendant un moment, se concentrant sur la route. Les essuie-glaces grinçaient en repoussant la neige. Quand on s'est arrêtés au feu suivant, papa s'est tourné vers moi.

— Kim, ta mère s'inquiète pour toi parce qu'elle t'aime. Et je suppose qu'elle se sent responsable, d'une certaine façon, de tout ce qui est arrivé.

— Qu'est-ce que tu veux dire ?

— Je pense que ta mère croit que c'est plus ou moins sa faute si tu as le virus.

— Mais ça n'a pas de sens, ai-je protesté. Je l'ai attrapé à cause de la transfusion sanguine qu'on m'a faite après l'accident d'auto.

— C'est vrai. Mais sans cet accident, tu n'aurais pas eu besoin d'une transfusion. Elle se sent responsable de l'accident.

— Pourquoi ? Le type qui nous a frappées était soûl. Maman ne pouvait pas l'éviter.

Je n'avais que sept ans quand l'accident est arrivé, mais j'y ai repensé si souvent au cours de la dernière année que je me souviens du moindre détail : moi, endormie en arrière... le hurlement de maman... et le sang. J'ai secoué la tête pour chasser toutes ces images.

— Ta mère pense que tu n'aurais pas été blessée aussi gravement si tu avais eu ta ceinture. Et, à mon avis, si elle essaie tellement de te protéger maintenant, c'est parce qu'elle pense ne pas l'avoir fait assez à ce moment-là.

J'étais abasourdie.

— Je ne savais pas qu'elle pensait ça.

Mon père a hoché la tête.

— On aurait probablement dû en parler bien avant aujourd'hui. Je suppose que ta mère croyait avoir surmonté son sentiment de culpabilité jusqu'à... jusqu'à ce qui s'est passé.

Il a posé sa main sur mon bras.

— Essaie d'être patiente avec elle, Kim. Elle t'aime beaucoup.

— Je vais faire de mon mieux, papa, je te le promets.

Je l'ai regardé et j'ai vu la tristesse gravée sur son visage. Depuis le diagnostic, la douleur, la colère et le désespoir ont pris toutes mes énergies. Maintenant, je commençais à comprendre à quel point mes parents étaient touchés, eux aussi.

— Mon cœur, je donnerais tout au monde — sa voix s'est brisée — pour prendre ta place et t'épargner.

La seule fois où j'avais vu mon père pleurer, c'était ce fameux jour de septembre dernier, quand le médecin de Francheville nous avait appris que j'étais séropositive. J'aurais voulu le réconforter, lui dire que tout était normal et que je pouvais faire face à la situation. Mais j'en étais incapable. Les mots étaient coincés dans ma gorge, et je sentais monter en moi une douleur et une peur que je connaissais bien.

« Je vais mourir, ai-je pensé, et ce n'est pas du tout normal. »

CHAPITRE 2

— Kim, il faut y aller, a crié ma mère. L'auto est déjà réchauffée.

— J'arrive tout de suite, ai-je répondu.

Je fixais le miroir embué de la coiffeuse et j'imaginais que j'étais de retour à Clermont, dans ma jolie chambre blanche et jaune avec son miroir à trois faces.

En équilibre sur une jambe, je faisais une arabesque en m'étudiant dans le miroir. Mes jambes étaient droites, mon dos bien cambré, mais je devais encore travailler la position de mes bras. Tout à coup, j'ai vu dans le miroir le reflet d'un objet qui traversait le moustiquaire de ma fenêtre ouverte. Une pierre a sifflé à mon oreille avant de fracasser le miroir. Les éclats de verre me renvoyaient l'image distordue de mon corps recroquevillé sur le plancher de ma chambre.

Ce souvenir a réveillé toute mon amertume et ma colère. J'étais contente de quitter Clermont, mais notre maison me manquait. J'avais l'impression d'étouffer dans cet appartement minable et déprimant. Mes parents l'avaient choisi parce qu'il était à un kilomètre et demi de l'école. Ils disaient que si tout allait bien à Somerval, ils achèteraient une maison. Si, si, si... Tout dépendait de moi.

J'ai jeté un dernier coup d'œil dans le miroir. « Pas mal », ai-je jugé. La teinte émeraude de mon chandail faisait ressortir le vert de mes yeux, et mes cheveux châtains étaient maintenant assez longs pour masquer la maigreur de mon visage.

— Kim, on va être en retard, a crié ma mère depuis le vestibule.

— Peut-être que les filles de l'école secondaire de Somerval portent des jeans et non des jupes. Je devrais peut-être me changer.

— Tu es bien comme ça, ma chouette. Arrête de t'en faire et dépêche-toi.

Maintenant qu'il était temps de partir, mes mains étaient glacées et ma poitrine était prise dans un étau.

— Maman, je ne me sens pas tellement bien. Je pense que je devrais rester à la maison.

Ma mère est venue me retrouver et a posé sa main sur mon front.

— Tu n'as pas de fièvre, a-t-elle dit. Tu es sûre que tu te sens mal ? Ça ne serait pas plutôt le trac de la rentrée ?

— Les deux, je suppose. J'ai peur, maman. Qu'est-ce qui se passera si les élèves apprennent que je suis séropositive ?

— C'est impossible, voyons. Personne n'est au courant de ton état, sauf le médecin et la conseillère du Manoir de l'Espoir.

— Mais le docteur de Francheville a prévenu l'école de Clermont que j'étais séropositive. La direction l'a peut-être inscrit dans mon dossier.

— J'ai expressément demandé au directeur de ne pas le faire. Allons, mon cœur, il faut vraiment y aller, a-t-elle ajouté avec un sourire d'encouragement.

J'ai attrapé mon manteau et mon sac à dos et je l'ai suivie jusqu'à l'auto. Le ciel était aussi gris que la neige sale tassée le long des trottoirs. J'ai frissonné.

Durant le court trajet jusqu'à l'école, maman n'a pas arrêté de parler de la beauté de Somerval au printemps, quand les lilas sont en fleurs. Je savais qu'elle voulait me remonter le moral, mais ça ne m'aidait pas beaucoup.

« Fais comme si tu n'étais pas malade, me suis-je dit. Fais comme si tu te préparais pour une compétition en patinage et que tu avais le trac. Pense à autre chose. » Alors, j'ai compté les autos dans le stationnement. Et j'ai compté les marches de l'escalier extérieur. Mais une fois à l'intérieur, les bruits et les odeurs de laine humide, de transpiration et de désinfectant parfumé au pin m'ont assommée. C'était exactement comme à l'école secondaire de Clermont. « Est-ce qu'ils sont au courant ? Est-ce qu'ils savent ce que j'ai ? » Ces mots qui résonnaient dans ma tête couvraient le vacarme des voix autour de moi. Je me suis mise à scruter les visages en douce, m'attendant d'y trouver ce que j'appelle « le regard ». La peur, le rejet, la haine et la pitié m'apprendraient qu'on savait. Mais à part quelques coups d'œil curieux, personne ne faisait attention à moi. L'étau dans ma poitrine s'est desserré un peu.

Le bureau du directeur était rempli d'élèves munis de leur formulaire de réinscription. Au bout de quelques minutes, une secrétaire est arrivée.

— Vous êtes ?

— Barbara Robert, et voici ma fille Kim. Elle vient de l'école de Clermont.

Maman lui a tendu une liasse de documents.

— Je crois qu'il y a tout ce qu'il vous faut : l'extrait de naissance, la preuve de résidence, les bulletins et euh… le carnet de vaccination.

— Vous êtes bien préparée, a dit la secrétaire, rassurée.

Elle m'a donné d'autres documents.

— Le plan de l'école. Les règlements. Tu vas te rendre tout de suite chez la conseillère. Au bout du couloir, troisième porte. Madame Colin. Tu n'auras qu'à frapper.

Ma mère m'a demandé si elle devait m'accompagner.

— Inutile. C'est juste pour voir l'horaire, a répondu la secrétaire avant de se tourner vers l'élève suivant.

Maman m'a accompagnée jusqu'au bureau de la conseillère.

— Bonne chance, m'a-t-elle dit. Je passerai te prendre après l'école.

— Je suis capable de marcher un kilomètre, maman.

— D'accord. Mais si tu ne te sens pas bien ou si tu es trop fatiguée, promets-moi de téléphoner.

— Promis.

Satisfaite, elle m'a embrassée rapidement.

— Souhaite-moi aussi bonne chance.

Je n'avais pas la moindre idée de ce qu'elle voulait dire. Puis je me suis souvenue de son entrevue au Marché de la Place.

— Ne t'inquiète pas, tu vas l'avoir, cet emploi. Mais bonne chance quand même.

Quand elle fut partie, j'ai pris une grande inspiration et j'ai ouvert la porte du bureau de madame Colin. Par chance, il n'y avait personne qui attendait et j'ai pu la voir aussitôt. Elle a lu avec attention le dossier qu'une secrétaire avait apporté.

— Hummm ! a-t-elle fait. Hummm, hummm !

Je retenais mon souffle. Si quelque chose lui mettait la puce à l'oreille, je le verrais certainement sur son visage. Ne voyant aucune trace du « regard », j'ai commencé à me détendre un peu.

— Je vois que tu es très forte en mathématiques, Kim.

— Mon père est comptable et conseiller fiscal, lui ai-je appris en essayant de sourire. Je dois avoir ça dans les gènes.

Madame Colin a froncé les sourcils en tournant une page.

— Je vois dans ton dossier scolaire que toutes tes notes ont baissé au dernier semestre.

Mon estomac a fait un plongeon. « Ça y est, ai-je pensé. Par ici les questions ! »

— Que s'est-il passé, Kim ?

— C'est que, euh… je n'étais pas très en forme. Le déménagement et tout ça, je suppose. Mais maintenant, ça va, ai-je ajouté rapidement.

— Ce n'est pas toujours facile de quitter ses amis et ses habitudes, a dit madame Colin avec un sourire compréhensif.

Une cloche a sonné et j'ai entendu la ruée de l'autre côté de la porte.

— Tu vas devoir manquer une partie de ton premier cours, a-t-elle dit en haussant le ton pour couvrir le bruit. Il faut vérifier ton horaire.

Durant le quart d'heure suivant, on a passé mes cours en revue. À la fin, madame Colin m'a regardée.

— As-tu des questions, Kim ? Aimerais-tu aborder un sujet particulier ?

— Qu'est-ce que vous voulez dire ? ai-je demandé, soudain inquiète.

— Je veux simplement dire que si tu as un problème quelconque, je suis ici pour t'aider à le résoudre.

— Je n'en ai pas.

— Je suis heureuse de l'entendre.

Elle a griffonné quelques mots sur un bout de papier qu'elle m'a tendu.

— Tu peux te rendre à ton cours de géométrie. Salle 104. Donne ceci à monsieur Julien, m'a-t-elle dit en souriant. Bienvenue à l'école secondaire de Somerval, Kim.

J'ai refermé la porte et m'y suis appuyée un instant. « Tout va bien, ai-je pensé. Personne ne sait. Je n'ai qu'à me fondre dans le groupe. Je serai juste une élève ordinaire — pas comme à Clermont. »

Pendant que je traversais le corridor en vitesse, des souvenirs des derniers jours passés à mon ancienne école ont refait surface : des élèves qui chuchotaient, la main devant la bouche ; d'autres qui s'écartaient sur mon passage ; d'autres qui me fixaient avec le « regard ».

— C'est Kim Robert. Savais-tu qu'elle a le sida ?

— Il paraît qu'elle l'a attrapé en prenant de la drogue.

— Ouais, et elle est supposée être brillante !

— Si elle n'est pas renvoyée de l'école, mes parents vont m'inscrire dans un collège privé.

— J'ai touché son livre d'histoire sans le faire exprès, l'autre jour.

— Imagine ! On lui permet de manger à la cafétéria.

Des larmes de colère m'ont embrouillé les yeux. Je n'aurais jamais pensé que les gens pouvaient être si méchants, surtout pas mes amis. Je devais oublier tout ça maintenant. J'ai redressé les épaules et je me suis rendue à la salle 104.

Le professeur traçait des rectangles et des parallélogrammes au tableau.

— Monsieur Julien ? ai-je dit en lui remettant la feuille que m'avait donnée madame Colin. Je viens de déménager, je m'appelle Kim Robert.

Il a jeté un coup d'œil au document.

— Très bien. Tu peux t'asseoir où tu veux, Kim.

J'ai repéré un pupitre libre au fond de la classe. Monsieur Julien est retourné au tableau et j'ai reconnu le langage familier de la géométrie. J'ai toujours eu de la facilité en mathématiques et, récemment, j'y ai trouvé une curieuse consolation. Il y a des certitudes en algèbre et en géométrie, des formules et des équations qu'on peut utiliser pour résoudre des problèmes. Pas dans la vie. Surtout pas dans ma vie.

Le reste de la matinée s'est bien passé. Mais la file d'attente était tellement longue à la cafétéria que j'ai été tentée de sauter le repas. Sans compter que la nourriture n'était pas très appétissante. Quand j'ai trouvé une table et que j'ai commencé à manger, mon hot-dog était froid, mes frites étaient molles et ma boisson gazeuse me piquait la gorge.

— Est-ce que je peux m'asseoir ici ?

J'ai levé les yeux. C'était la fille aux béquilles que j'avais rencontrée au centre commercial. En vitesse, j'ai rassemblé mes affaires.

— Mais oui, j'allais justement partir.

— J'ai dit quelque chose de mal ? s'est-elle étonnée.

— Bien sûr que non, ai-je répondu, sans savoir quoi faire.

J'ai tellement pris l'habitude qu'on m'évite que je ne pensais même pas qu'elle pouvait vouloir s'asseoir avec moi.

Elle s'est assise après avoir appuyé ses béquilles contre la table.

— Je jure que je n'ai pas la peste ni aucune maladie contagieuse, a-t-elle dit avec un sourire.

« Moi, oui » ai-je pensé ironiquement.

— Excuse-moi. Je m'appelle Kim Robert. On est ici depuis la semaine dernière seulement.

— Je m'appelle Martine Cherrier. Ça fait quelques mois qu'on s'est installés, mais je ne connais pas beaucoup de monde encore.

J'ai pris mon hot-dog pour le déposer aussitôt. Son odeur me donnait mal au cœur. J'ai repoussé mon plateau.

— Est-ce que ça va ? a demandé Martine. Tu as l'air malade.

— Je ne suis pas malade !

J'ai parlé trop fort, d'une voix trop aiguë. J'ai essayé de tourner ça en blague :

— Mais tu avoueras que cette nourriture donnerait envie de vomir à n'importe qui.

— Pour ça, tu as raison, a-t-elle admis. Attends de goûter la pizza ! Je suis sûre qu'il y a des risques pour la santé.

Elle m'a souri.

— Je pense qu'on s'est vues à la patinoire. Tu aimes le patin ?

J'ai jeté un coup d'œil rapide à ma montre.

— Oh ! j'allais oublier ! J'ai promis à ma mère de l'appeler.

Je me suis levée et j'ai pris mon plateau.

— À bientôt.

J'ai vu que Martine était déçue et je m'en suis voulu. Elle avait l'air sympathique, et on aurait pu devenir amies. J'ai fait taire mon cœur. « Amitié égale chagrin », me suis-je rappelé, et la colère qui prenait une si grande place dans ma vie a resurgi. « De quel droit pose-t-elle des questions ? De toute façon, elle n'aimerait pas les réponses. »

À la fin de la journée, j'étais trop épuisée pour marcher jusqu'à la maison. J'ai appelé ma mère pour qu'elle vienne me chercher et je l'ai attendue dans le stationnement. J'avais froid et j'étais fatiguée.

Maman souriait quand je suis montée dans l'auto.

— Devine quoi ! J'ai eu l'emploi. Je commence demain, et le salaire est meilleur qu'à Clermont.

— Super ! ai-je dit en essayant d'être enthousiaste.

— La journée n'a pas été très bonne, pas vrai ? a-t-elle constaté en m'examinant. Penses-tu qu'ils sont au courant ?

— Je ne sais pas. La conseillère n'avait pas l'air de l'être, mais…

— Peut-être que le directeur de l'école de Clermont avait raison. Ce serait peut-être mieux si tu avais des cours particuliers, à la maison.

— On n'en a pas les moyens, maman. De toute façon, ce n'est pas l'école, c'est moi. Je me sens tellement... révoltée, tout le temps furieuse.

— C'est normal, mon cœur. Tu en as parfaitement le droit.

— Peut-être, mais je fais subir ma colère aux autres et je me déteste après.

— Il faut prendre un autre rendez-vous au Manoir de l'Espoir. Je pense que tu devrais vraiment rencontrer la conseillère pour lui en parler.

— Je ne veux pas en parler, maman. Je veux oublier que j'ai ce virus stupide.

— S'il te plaît, Kim. Tu pourrais profiter de toutes sortes de ressources au Manoir de l'Espoir. Je vais prendre un nouveau rendez-vous pour cette semaine. Ça va t'aider, tu verras.

J'étais trop exténuée pour répliquer.

À l'appartement, ma mère m'a tendu une lettre.

— Tiens, ça va te remonter le moral, Kim. C'est de Juliette.

Je l'ai apportée dans ma chambre et je me suis laissée tomber sur le lit pour la lire.

Chère Kim,

Comme tu peux le voir, j'ai eu l'ordinateur que j'avais demandé pour Noël. Les caractères sont beaux, pas vrai ? J'aimerais tellement que tu sois ici pour l'essayer. Tu me manques beaucoup. J'ai dû commencer à composer ton ancien numéro de téléphone une centaine de fois avant de me rappeler que tu n'es plus ici. Ça me rend tellement triste.

Sophie te fait dire bonjour. Elle a toujours honte de la façon dont sa mère t'a traitée. Je déteste cette ville à cause de ce qu'elle t'a fait. Je pense que tu es chanceuse d'être partie. Je vais probablement rester collée ici jusqu'à cent ans.

Quoi d'autre ? J'ai un million de choses à te dire. Paul Bourgeois et Catherine Lemaire sortent ensemble. Jean-Alain Pronovost est passé junior B au hockey. Annick Verville organise une soirée au club Sélection, la semaine prochaine, et ma sœur est invitée. C'est une soirée habillée, avec robes longues et tout ! Je meurs d'envie d'y aller.

Je meurs d'envie. Je meurs. Un seul petit mot peut faire tellement mal. Le reste de la lettre contenait d'autres potins sur des jeunes que nous connaissions. Je l'ai lue trois fois avant de la mettre sous mon oreiller, me sentant plus nostalgique que jamais.

Je ne voulais pas retourner à Clermont. Je voulais retourner aux jours où Juliette, Sophie et moi, on était des amies et où le sida n'était qu'un sujet aux informations.

J'étais si heureuse dans ce temps-là. J'étais bonne à l'école, j'étais populaire, et j'étais sûre que Michel Brunelle avait un œil sur moi. J'aimais sortir avec des amies, suivre mes cours de danse, aller voir des parties de hockey. Et, plus que tout, j'adorais patiner.

C'était difficile. Ça demandait de longues heures d'entraînement. Mais ça valait la peine. L'an dernier, j'avais même réussi à me rendre au championnat provincial. Quand mon tour était arrivé et que j'avais exécuté, dans un costume splendide, mon nouveau numéro sur une musique parfaite, j'avais vécu les plus belles sensations de ma vie. J'étais seule sur la patinoire. J'avais le pouvoir d'émouvoir le public, de le soulever, de le faire rire et applaudir.

Une vague de désespoir m'a envahie. C'était déprimant de regarder le passé, mais pire encore de penser à l'avenir. Est-ce que je pourrais encore patiner ? avoir un ami un jour ? aller à l'université ? Je me suis mise à pleurer et j'ai enfoui mon visage dans mon oreiller pour que ma mère ne m'entende pas.

CHAPITRE 3

Le vendredi après-midi, il faisait très doux pour un mois de janvier, et le ciel était d'un bleu éclatant. Les journées ensoleillées m'ont toujours mise de bonne humeur et c'est d'un pied presque léger que j'allai à mon rendez-vous au Manoir de l'Espoir, après mes cours.

J'ai hésité un peu en ouvrant la porte d'entrée. Après ce qui s'était passé l'autre jour, j'avais un peu peur de tomber sur David Richard.

Une belle femme aux cheveux grisonnants, au teint clair et au regard plein de chaleur était assise à la réception.

— Je suis madame Ayotte, a-t-elle dit. Est-ce que je peux t'aider ?

— Mon nom est Kim Robert. Je suis en avance. J'ai rendez-vous à trois heures et demie avec Andrée Sergerie.

— Tu peux y aller tout de suite.

— Ah ! bon !

J'ai cherché David du regard. Je me suis rendu compte que, au fond de moi, j'espérais le revoir.

— Ça ne fait rien si tu n'es pas prête, a ajouté

madame Ayotte avec gentillesse. Aimerais-tu mieux rencontrer des jeunes de la maison ou bien faire le tour du propriétaire ?

— Non, ça va, ai-je répondu rapidement. Je suis prête.

Le bureau de madame Sergerie était d'un jaune lumineux. Il était meublé d'un divan et de fauteuils invitants.

— Bonjour Kim.

Elle m'a fait signe de m'asseoir sur le divan, pendant qu'elle s'installait dans un des fauteuils.

— Je m'appelle Andrée Sergerie, mais tout le monde ici m'appelle Andrée.

Elle était plus jeune que je ne l'avais pensé, probablement dans la trentaine. Très grande, elle avait de beaux cheveux courts et noirs et un sourire amical.

« Est-ce que toutes ces personnes sont aussi heureuses qu'elles en ont l'air ou est-ce qu'elles jouent simplement la comédie ? » ai-je pensé.

— Je m'excuse de t'avoir manquée l'autre jour, a dit Andrée. J'ai eu une urgence.

— Oh ! ce n'est pas grave !

Je suis restée muette un long moment, la tête vide, souhaitant qu'Andrée rompe le silence.

— Je devine que tu n'es pas particulièrement contente d'être ici, a-t-elle fini par dire.

— C'est ma mère qui me l'a demandé. Elle vous a sûrement dit ce qui n'allait pas.

— Elle m'a dit que tu es séropositive. Elle m'a parlé aussi de ta colère.

J'ai baissé la tête et mes cheveux m'ont couvert le visage.

— Est-ce que tu veux en parler ?

— Euh... pas vraiment, ai-je répondu en soupirant. Qu'est-ce que ça donnerait ?

— Kim, je sais que tu as entendu ça avant, a-t-elle repris doucement, mais ça peut vraiment te faire du bien de parler de ce qui t'arrive.

Je me suis redressée et j'ai repoussé mes cheveux.

— Tu en veux à qui ? a-t-elle demandé.

— À tout le monde.

— Tout le monde ?

— J'en veux aux gens de Clermont pour m'avoir traitée comme ils l'ont fait. Au médecin qui m'a fait la transfusion. Au donneur du sang contaminé.

J'ai regardé Andrée avec défi.

— Vous ne seriez pas révoltée, vous ?

— Oui et non. Je ne veux pas excuser les gens de Clermont, mais c'est l'ignorance qui les a fait agir comme ça. Le médecin ne savait pas que le sang était contaminé. Et cette transfusion t'a aussi sauvé la vie. Sans elle, tu ne serais probablement pas assise ici.

Je suivais le contour jaune vif du tapis avec le bout du pied. Je n'avais jamais vu la transfusion comme ça.

Andrée a jeté un coup d'œil sur une fiche.

— Ton dossier médical indique que tu as reçu la transfusion quand tu avais sept ans. On ne savait pas grand-chose du sida à cette époque. Les hôpitaux n'ont pas commencé à tester systématiquement le sang avant le printemps 1985 — un peu après ton accident. Probablement que le donneur n'avait pas la moindre idée qu'il était atteint d'une maladie contagieuse. C'est un des facteurs qui rendent ce virus aussi dangereux. Ça prend souvent six à dix ans avant qu'un symptôme fasse son apparition, et les gens ignorent tout simplement qu'ils sont atteints. Toi-même, tu as porté le virus presque la moitié de ta vie et tu ne t'en es rendu compte que cette année.

J'ai hoché la tête.

— Ta révolte est parfaitement normale, Kim. Les personnes qui vivent un événement traumatisant — la mort d'un membre de leur famille, une maladie grave, un divorce — traversent différents stades émotionnels ; la colère est un de ces stades. Souvent, ces personnes s'en prennent aux autres, surtout à leurs proches. Elles se cachent dans leur chambre et se sentent seules, déprimées et frustrées.

J'étais étonnée de la précision avec laquelle Andrée décrivait mes sentiments.

— Je n'étais pas comme ça, avant, ai-je dit. J'avais beaucoup d'amies et j'aimais l'école. Et j'étais heureuse, aussi.

— Ça pourrait t'aider de parler avec des personnes qui vivent des problèmes semblables aux tiens. On a un groupe de soutien…

— Je faisais partie d'un de ces groupes, à Clermont. Il n'y avait que des adultes. Ils ne comprenaient rien à mes problèmes.

— Ici, c'est un groupe de soutien pour les adolescents, a précisé Andrée.

— Je parie qu'il n'y en a pas un avec le sida.

— Non, mais il y a des jeunes qui ont d'autres maladies graves comme le cancer ou le diabète.

— Comment un jeune qui a le cancer ou le diabète peut-il comprendre ce que j'endure ? Il n'est pas rejeté par les autres, comme s'il était sale et qu'on ne pouvait pas le toucher.

Je fixais encore le tapis.

— De toute façon, qu'est-ce que ça donnerait ? Je vais mourir.

— Nous allons tous mourir, a dit tranquillement Andrée. Certains plus vite que d'autres. Mais l'important, c'est de profiter au maximum du temps qu'on a.

— Mais comment ?

— Tu ne dois pas t'apitoyer sur ton sort. Tu dois canaliser l'énergie de ta colère pour l'utiliser positivement. Tu dois reprendre la maîtrise de ta vie pour arrêter de te sentir impuissante. Et tu dois laisser tomber ce que tu ne peux pas contrôler. Il ne faut pas lâcher, Kim. Tu sais, il y a vraiment de l'espoir.

— J'ai beaucoup lu sur le sida. Presque tous ceux qui sont séropositifs vont mourir d'une maladie horrible.

Je retenais mes larmes. Andrée s'est approchée

pour s'asseoir près de moi. Elle a passé son bras autour de mes épaules.

— Pleure, si ça peut te faire du bien, a-t-elle dit doucement.

Et j'ai pleuré — un peu sur mon sort, mais aussi parce que depuis le diagnostic, personne, à part mes parents, ne m'avait serrée dans ses bras ou même touchée comme Andrée le faisait.

Finalement, j'ai arrêté de pleurer et je me suis dégagée de son bras, gênée.

— Je suis désolée, ai-je dit d'une petite voix.

— Pas moi, a dit Andrée d'un ton ferme. Il n'y a rien comme une bonne crise de larmes pour débloquer les émotions.

Elle m'a tendu une boîte de mouchoirs de papier.

J'en ai pris une poignée et me suis mouchée énergiquement.

— Et vous croyez vraiment qu'il y a de l'espoir ? ai-je fini par demander.

— On en apprend chaque jour un peu plus sur le sida et sur la manière de ralentir sa progression. Je vois dans ton dossier que tu prends de l'AZT. C'est un des moyens que les scientifiques ont trouvé pour aider les personnes séropositives à rester en bonne santé plus longtemps. On pourrait faire à tout moment une autre découverte, encore plus importante.

J'ai hoché la tête.

— Puisque tu as beaucoup lu sur le sida, tu

dois savoir qu'il est prouvé que plus ton esprit et ton corps vont bien, mieux tu es protégée. Au manoir, on peut t'apprendre à t'aider toi-même. On peut te conseiller sur l'alimentation, l'exercice physique, la manière de faire face au stress. Toutes ces choses vont fortifier ton système immunitaire.

— Je sais, ai-je dit. Mais si je viens ici régulièrement, j'ai peur que quelqu'un ne l'apprenne. Il suffit d'une seule personne, et toute l'école le saura — comme à Clermont. Je ne pourrais pas revivre cette situation.

— C'est à toi de décider si tu veux le dire à quelqu'un, Kim. Et la décision de t'aider toi-même te revient aussi.

— Je ne sais pas, ai-je fait en secouant la tête.

— Penses-y, Kim. On se verra mardi prochain, de toute façon. Tu as rendez-vous avec le docteur Hardy, un de nos internes en pédiatrie.

— En pédiatrie ?

— Le docteur Hardy se spécialise en immunologie, et il connaît bien le sida.

J'ai hoché la tête et je me suis levée.

— Si tu changes d'avis au sujet du groupe de soutien ou si tu veux juste parler avec quelqu'un, a dit Andrée en m'accompagnant jusqu'à la porte, téléphone ou viens n'importe quand.

— Merci, Andrée. Merci d'essayer de m'aider.

En me retournant pour sortir, je suis arrivée sur quelqu'un qui était penché devant la porte. Mon genou l'a atteint à la joue et il est tombé sur le dos. C'était David Richard.

— Excuse-moi, je récupérais ceci, m'a-t-il dit, un ballon de basket à la main.

Il l'a tendu à un petit garçon.

— Le ballon doit rester dehors, Alex. Va jouer, je vais aller te rejoindre dans une minute.

Il s'est relevé en se frottant la joue.

— C'est plutôt à moi de m'excuser, ai-je dit. Rien de cassé ?

— Ça va, a-t-il répondu en riant. As-tu déjà pensé à devenir ceinture noire de karaté ? Ton coup de pied serait parfait.

Son sourire était contagieux et je le lui ai rendu.

— C'est une jambe de patineuse, ai-je ajouté. Une chance qu'il n'y avait pas de lame au bout.

On est restés debout à sourire gauchement.

— Eh bien, je ferais mieux d'aller au terrain de jeu, a-t-il fini par dire.

— Kim aimerait peut-être t'accompagner pour voir le parc, a suggéré Andrée. Le temps ne sera peut-être pas aussi doux avant des semaines.

David m'a questionnée du regard.

— Ça te tente ? Mais je ne peux pas te garantir que les enfants n'essaieront pas de t'entraîner dans un de leurs jeux.

— Pourquoi pas ? Ça pourrait être amusant, ai-je répondu.

En réalité, l'idée de l'appartement vide me déprimait, et j'étais bien contente de pouvoir m'occuper jusqu'au retour de mes parents.

En traversant la maison, j'ai pu me rendre compte que David connaissait tous les membres du personnel. Il m'a présentée à plusieurs personnes, dont le docteur Robin, un cardiologue beau comme un dieu, et à Benoît Sergerie, un autre conseiller.

— Benoît et Andrée se sont rencontrés au manoir, m'a expliqué David. Ils se sont mariés dans le salon.

Soudain, il s'est arrêté et s'est mis à renifler avec plaisir.

— Je pense qu'on va faire un petit détour, m'a-t-il dit en ouvrant une porte sur une vaste cuisine.

Une femme avec un tablier blanc de boulanger sortait des biscuits du four. David s'est approché d'elle et l'a prise par la taille.

— Madame Bradette, je vous présente Kim. Madame Bradette prépare le meilleur poulet au monde et ses crêpes aux fraises sont... miammmm, a-t-il fait en se léchant les lèvres.

— Tu auras des portions supplémentaires pour ces compliments, David, a répliqué madame Bradette en lui donnant une petite tape sur l'épaule. Mais j'ai beau essayer, je n'arrive pas à te faire engraisser. Il me semble que ça ne te ferait pas de tort, à toi non plus d'engraisser un peu, a-t-elle ajouté en me toisant d'un œil expert.

David a éclaté de rire.

— Madame Bradette ! Vous parlez comme la sorcière dans *Hansel et Gretel* !

— David est un grand taquin, m'a dit madame Bradette en me lançant un clin d'œil. Je suis contente de faire ta connaissance, Kim.

Pendant qu'elle avait le dos tourné, David a pris quelques biscuits.

— Ouille ! Ils sont brûlants ! s'est-il exclamé.

— Ça t'apprendra, a répliqué madame Bradette en me tendant la plaque : Allez, Kim, sers-toi.

— Non merci. Ils ont l'air délicieux, mais je n'ai pas faim.

Dès qu'on est arrivés dehors, une poignée d'enfants s'est jetée sur David, le serrant, tirant sur sa veste et parlant en même temps.

— Viens me pousser sur la balançoire, David.

— Joue au jeu du chat avec nous.

— Est-ce qu'on joue toi et moi ? lui a demandé Alex en lui tendant le ballon.

David a pris le ballon et l'a lancé dans le panier. Après l'avoir rattrapé, il l'a fait rebondir vers Alex.

— Échauffe-toi un peu, lui a-t-il dit, on va jouer tout à l'heure.

David accordait une attention particulière à chacun, et c'était évident qu'ils l'adoraient tous.

Une petite fille d'environ quatre ans attendait, à l'écart, que David vienne la voir.

— Kim, voici Marie-Ange, ma copine, m'a-t-il annoncé en la prenant et en la lançant dans les airs.

— Moi et David, on a fait une chimotrapie ensemble, a-t-elle dit fièrement.

— Chimiothérapie, a corrigé David en lui souriant. Marie-Ange aussi est leucémique.

— C'est David qui m'a donné la casquette quand mes cheveux sont tombés, a dit Marie-Ange en enlevant sa casquette de baseball rouge vif. Mais regarde, mes cheveux repoussent.

— Comme je te l'avais dit, a répliqué David en ébouriffant ses petites boucles blondes.

J'étais à la fois émue et surprise de voir comment elle acceptait sa maladie. « J'aimerais réagir comme elle, ai-je pensé. Peut-être que c'est plus facile quand on est une enfant et qu'on ne comprend pas vraiment ce qui arrive. » Marie-Ange m'a regardée en souriant.

— Veux-tu me pousser sur la balançoire ? m'a-t-elle demandé.

— Avec plaisir !

On s'est dirigées vers les balançoires pendant que David faisait des paniers avec Alex.

— Raconte-moi une histoire, m'a demandé Marie-Ange pendant que je la poussais.

— Connais-tu *Boucle d'Or et les trois ours* ?

Je n'avais jamais raconté d'histoire avant, mais mes parents m'en lisaient tous les soirs quand j'étais petite, et les mots me sont revenus facilement. J'ai même réussi à faire rire Marie-Ange en prenant des voix différentes pour la maman, le papa et l'ourson.

Je ne sais pas qui, de nous deux, a le plus apprécié ce conte. Mais je sais qu'à la fin, j'étais détendue comme je ne l'avais pas été depuis des semaines. On ne pouvait pas se sentir malheureuse près de Marie-Ange, et j'étais contente que ma mère ait insisté pour que je vienne au Manoir de l'Espoir.

Espoir. Andrée a dit qu'il y avait de l'espoir pour moi. Mais est-ce que je voulais y croire ?

Marie-Ange est allée jouer au jeu du chat quand elle en a eu assez de la balançoire. Un petit garçon, Denis, a pris sa place. Je lui ai raconté *Jacques et le haricot magique*, et il m'a accompagnée pour le « Peste et sac à puces ! » en jubilant. Quand il est parti jouer au basketball, une grande fatigue m'a envahie subitement — pire que tout ce que j'avais éprouvé jusque-là. Je me suis sentie soudain comme une poupée de chiffon qui venait de perdre sa bourre. J'avais les jambes molles et j'ai dû saisir la balançoire pour m'asseoir.

— Une petite poussée ? a demandé David qui arrivait derrière moi.

Quand il a pris les cordes de la balançoire, nos mains se sont touchées. Sans réfléchir, j'ai vite retiré les miennes.

On n'a rien dit pendant un moment, puis David s'est assis sur la balançoire d'à côté.

— Tu sais, la leucémie n'est pas contagieuse.

— Je sais. C'est parce que... je...

Je voulais lui expliquer que j'avais appris à éviter de toucher les gens, après avoir vu la peur dans leurs yeux. Mais les mots restaient coincés dans ma gorge.

— Tu n'es pas obligée de parler de ce qui te tracasse si tu n'en as pas envie, a-t-il ajouté sans me regarder.

— Il n'y a rien qui me tracasse.

Il m'a regardée en souriant.

— Ah ! oui, c'est vrai, tu es ici pour vendre des tablettes de chocolat à Andrée !

J'ai souri. Je n'aurais pas pu me fâcher contre lui, même si je l'avais voulu.

— Regarde Marie-Ange qui grimpe sur la maisonnette, ai-je dit pour changer de sujet. Elle doit tomber souvent. Elle a des bleus sur les deux jambes.

— C'est à cause de la leucémie, m'a-t-il appris. On se fait beaucoup de bleus et on saigne du nez souvent.

Il a retroussé une manche de sa veste pour me montrer une marque violacée sur son bras.

— On s'habitue.

— Puisque tu es malade, pourquoi es-tu bénévole ici ?

— Parce que je ne me sens pas toujours malade. Et parce que j'ai l'impression de faire quelque chose qui en vaut la peine, j'imagine. Je suis venu au manoir après ma chimiothérapie. Ça m'a semblé naturel de rester comme bénévole.

Quelque chose m'a frappée : David semblait plus âgé que la plupart des garçons que je connaissais. C'était peut-être à cause de la leucémie. Ou peut-être parce qu'il consacrait beaucoup de temps à aider les autres.

— Es-tu né à Somerval ? ai-je demandé.

— Non, on est partis de Grivemont il y a environ trois ans, quand mes parents ont entendu parler de l'hôpital Saint-Étienne et du manoir. Je n'avais vraiment pas le goût de partir, a-t-il continué en soupirant. J'aime le ski, et les montagnes n'étaient qu'à quelques minutes de chez nous. Il n'y a même pas un petit monticule à Somerval.

Il a levé les épaules.

— En fin de compte, ce n'est pas tellement important. Je ne peux plus skier de toute façon.

J'ai eu le temps de voir passer la tristesse sur son visage, puis elle était partie. Il aimait probablement le ski autant que j'aimais le patin.

— J'ai fait du ski, une fois, ai-je dit, pour essayer de le faire rire. Mais une de mes jambes est partie du côté gauche d'un arbre, et l'autre, du côté droit. Le reste a frappé le tronc. C'est là que j'ai décidé de m'en tenir au patin.

David a ri.

— Moi, je suis allé patiner juste une fois. J'ai passé mon temps sur le derrière.

— Je veux… je voulais devenir patineuse professionnelle.

— Tu as changé d'idée ?

— Mmmoui.

— Pourquoi ?

— J'aimerais mieux ne pas en parler, ai-je dit en repoussant mes cheveux derrière mes épaules. Et toi, que fais-tu durant tes temps libres ? Je veux dire quand tu ne travailles pas ici ?

— Je lis beaucoup. Je regarde des vieux films et les reprises de mes émissions favorites.

— Es-tu sérieux ? Moi aussi. J'aime surtout les films de suspense. Je me les repasse souvent.

— Sans blague, a dit David en riant. Je connais par cœur à peu près toutes les répliques de…

— David, je suis fatiguée. Est-ce que je peux m'asseoir sur tes genoux ? a demandé Marie-Ange.

— Il commence à faire froid, a-t-il dit. On rentre tous et on se débarbouille. C'est bientôt l'heure du souper.

Je ne m'étais pas aperçue qu'il était si tard, mais je voyais maintenant le soleil se coucher.

— Je dois partir, ai-je annoncé.

— Tu ne restes pas pour le souper ? Je veux dire... madame Bradette prépare toujours beaucoup trop de nourriture, a-t-il ajouté aussitôt.

— Merci, mais je dois partir.

Il a pris Marie-Ange dans ses bras et ils m'ont accompagnée jusqu'à la porte.

— J'emmène Marie-Ange et quelques enfants au lac Massicotte, dimanche, a-t-il dit en évitant de me regarder. Ça pourrait être agréable s'il fait aussi beau. Si tu as envie de venir...

J'hésitais. Je voulais dire oui. Non. C'était plus simple de ne pas avoir d'amis. Ça faisait trop mal de les perdre.

— Ça serait bien, ai-je répondu, mais j'ai, euh... beaucoup de devoirs à faire. Peut-être une autre fois, ai-je ajouté en voyant sa déception.

Sur le chemin du retour, je m'en voulais. « Pourquoi ne pas avoir accepté ? Ce n'est pas comme s'il t'avait demandé un rendez-vous. Il y aurait plein d'enfants avec nous. »

Une autre idée m'a frappée : « David pense probablement que je veux l'éviter à cause de sa leucémie. » Il a sûrement besoin d'amitié autant que moi.

Demain, peut-être, je lui dirai que j'ai changé d'idée. Peut-être.

CHAPITRE 4

Quand ma mère est rentrée de son travail, j'étais étendue sur mon lit, et je fixais le plafond de ma chambre. Elle n'a même pas pris le temps d'enlever son manteau avant de venir me voir.

— Et ta rencontre avec la conseillère, comment ça s'est passé ? m'a-t-elle demandé.

— Bien, je pense. Elle est gentille.

— Est-ce que tu vas retourner la voir ?

— Je ne sais pas.

C'est à David que je pensais, pas à Andrée. Je me suis assise sur mon lit.

— Maman, je voudrais te poser une question. Il y a un garçon au Manoir de l'Espoir — il s'appelle David. Il est bénévole là-bas, et il est très gentil. Il emmène des enfants du manoir au lac Massicotte, dimanche, et il m'a invitée à les accompagner.

— C'est une bonne idée. Tu peux y aller, s'il fait aussi beau qu'aujourd'hui.

— Ce n'est pas ça que je veux savoir. Penses-tu que je devrais le mettre au courant ? Si je le fais, il risque d'avoir la même réaction que les autres, à Clermont. Mais si je ne le fais pas…

— Rien ne t'oblige à lui en parler, m'a-t-elle interrompue.

— Mais est-ce que c'est correct ? Lui, il m'a dit tout de suite qu'il était leucémique. Tu ne penses pas que je devrais être franche, moi aussi ? Et s'il l'apprend plus tard et m'en veux de ne pas lui avoir dit ?

— On en a déjà parlé, Kim. Toi, papa et moi, on a tous les trois décidé qu'il valait mieux ne pas parler de ta... maladie.

— C'est vrai, maman. Tu as raison.

C'est ce que j'ai dit, mais, pour la première fois, je voyais les choses autrement.

— Je n'irai pas au lac, c'est tout. Comme ça, il n'y aura pas de problème.

Le mardi, ma mère a fini plus tôt. Elle est venue me rejoindre après les cours, et on a pris ensemble l'autobus jusqu'au manoir. Une infirmière, madame Généreux, nous a accompagnées jusqu'à l'aile médicale de la maison et a aidé ma mère à remplir les formulaires d'assurance.

— Vous pouvez attendre le docteur Hardy dans son bureau, a-t-elle dit. Il va arriver bientôt.

Au lieu de m'asseoir, comme ma mère, j'ai fait le tour de la pièce et j'ai regardé les toiles et les diplômes accrochés aux murs. À en juger par ses goûts artistiques, le docteur était un original. Il risquait même de me plaire.

Un grand type à l'allure dégingandée est entré dans le bureau. Il ressemblait plus à un joueur de basketball qu'à l'idée que je me faisais d'un médecin. Il a échangé une poignée de main avec ma mère et s'est présenté.

— En tout cas, tu n'as pas l'air malade, a-t-il dit en se tournant vers moi. Je vais finir de bonne heure.

Il s'est assis derrière le bureau.

— Viens t'asseoir, on va parler un peu.

Je me suis assise sur le bout d'une chaise, les mains serrées sur mes genoux.

— Détends-toi, Kim, m'a-t-il conseillé avec un sourire compréhensif. Je ne jappe pas, je ne mords pas et j'ai été vacciné contre la rage.

— Je n'aime pas les bureaux de médécin, ai-je déclaré platement.

— Moi non plus, quand je suis de ce côté-là du bureau.

— Le docteur Bertrand vous a-t-il envoyé le dossier médical ? a demandé ma mère.

Il lui a montré une chemise sur le bureau.

— Oui et je l'ai lu avec attention, a-t-il répondu d'une voix plus grave. Mais j'aimerais que Kim me dise dans ses mots comment le virus l'a affectée.

— Je n'ai pas eu de symptômes avant l'été dernier. J'ai commencé à avoir des rougeurs et toutes sortes d'infections. C'était affreux. Je me réveillais trempée, au beau milieu de la nuit. J'avais mal partout. J'ai eu une inflammation des ganglions.

J'ai touché mon cou sous l'oreille.

— Le médecin de Clermont a pensé que j'avais une grosse grippe. Mais comme je ne guérissais pas, maman m'a amenée voir le docteur Bertrand, à Francheville. C'est un immunologue.

— Et il t'a pris assez de sang pour rassasier un vampire, exact ? a-t-il dit en jetant un coup d'œil sur le dossier. Le nombre de tes lymphocytes T_4 avait baissé jusqu'à six cents, selon les résultats des tests.

— Le docteur Bertrand m'a fait passer le test d'anticorps VIH. Le résultat a été positif.

J'avais la gorge serrée et j'avais de la difficulté à continuer.

— J'ai commencé à prendre des gammaglobulines et de l'AZT. Je dois prendre cinq comprimés par jour.

— As-tu eu des effets secondaires ?

— Surtout des nausées. La nourriture a mauvais goût, aussi. Et je ne sais pas si c'est à cause des médicaments ou du virus, mais les muscles me font mal.

— C'est à cause de tes os, en fait. L'AZT peut agir sur la moelle osseuse.

— En tout cas, j'ai parfois les jambes en compote.

— De la compote à quoi ? m'a-t-il demandé malicieusement.

Je n'ai pas pu m'empêcher de rire, mais ma mère a froncé les sourcils.

— Je ne pense pas que l'état de santé de Kim porte à rire, docteur Hardy.

— Bien sûr que non, madame, a-t-il assuré. Il n'y a rien de comique dans n'importe quelle maladie. Mais ce n'est pas nécessaire d'en parler sur un ton sinistre. Je veux que Kim se détende et qu'elle se sente à l'aise avec moi.

Il s'est tourné dans ma direction.

— Mais si tu préfères un docteur normal, je peux essayer d'être sérieux.

Sa bouche a pris un air sévère, mais ses yeux continuaient de rire.

— Ça va, lui ai-je dit. Ça fait du bien. Je n'ai pas eu l'occasion de rire souvent ces derniers temps.

— Tant mieux, a-t-il dit, et il a parcouru rapidement mon dossier.

— Le docteur Bertrand semble s'être bien occupé de toi, Kim, mais tu n'as pas eu un relevé de tes lymphocytes depuis deux mois. Je voudrais te faire un examen complet et une analyse du sang.

Madame Généreux nous a conduites, ma mère et moi, dans une des salles d'examen. J'ai mis une chemise en papier, et elle m'a pesée, a pris mon pouls, ma température et ma tension artérielle.

— J'aimerais que tu ailles passer les tests de sang à l'hôpital Saint-Étienne, a déclaré le docteur Hardy après m'avoir examinée.

J'ai frissonné.

— Combien de piqûres ? ai-je demandé d'une petite voix.

— Ils ont eu de la difficulté avec ses veines, a dit ma mère. Pour un seul test, ils ont rempli dix-sept tubes. Ils lui ont fait très mal en essayant d'éviter un collapsus des veines.

— Je me débrouille assez bien avec les prises de sang, m'a confié le docteur Hardy. Je peux les faire ici et les envoyer au labo, si tu préfères. Avec moi, je t'assure que tu vas juste grogner un tout petit peu.

Ce n'était pas vraiment rassurant.

— Connais-tu l'histoire du chien qui ne jouait que du Bach ? m'a-t-il demandé en préparant ses instruments et en enfilant des gants de caoutchouc neufs.

J'ai fait signe que non.

— Le chien passait une audition devant un producteur de télé. Juste avant qu'il joue, son agent a mis le producteur en garde : « Ce chien est un artiste très sensible. Écoutez-le très attentivement, sinon il risque de perdre patience et de vous mordre. »

Le docteur a noué un garrot autour de mon bras.

— Le chien a commencé à jouer. Il jouait comme un pied. Le producteur a attendu patiemment qu'il finisse et a dit, très faché : « J'aurais dû le laisser m'attaquer. Après tout… »

Il a enfoncé l'aiguille dans mon bras avant de conclure.

— « … je suis sûr que son Bach est pire que sa morsure. »

J'ai grogné.

— Je n'ai jamais entendu une histoire aussi stupide.

— Je t'avais bien dit que tu grognerais, a-t-il

répliqué, triomphant. Et si tu penses que cette farce-là est stupide, tu ne perds rien pour attendre. J'en connais des pires. Les jeunes ici les appellent mes « grogneries ».

Il a retiré l'aiguille.

— Voilà, c'est fait. Ça n'était pas si mal, pas vrai ?

— Juste un petit pincement.

— Il faudra attendre les résultats dix ou quinze jours. Après ça, je veux te voir tous les mois. Mais si tu as une infection ou un problème quelconque, viens me voir tout de suite.

— Docteur, êtes-vous obligé d'informer son école de son état de santé ? a demandé ma mère.

— Non, mais je dois aviser les services de santé publique de tous les cas de maladies contagieuses. Il serait peut-être préférable que Kim informe elle-même la direction.

— Oh, non ! s'est exclamée ma mère, pas après ce qui est arrivé à Clermont ! Je ferais n'importe quoi pour lui éviter de revivre ça.

— La direction de l'école secondaire de Somerval est réputée pour son ouverture d'esprit, a-t-il dit, et je pense que son dossier restera confidentiel.

— On ne prendra aucun risque, a déclaré ma mère sur un ton qui mettait fin à l'entretien.

Deux semaines plus tard, je dînais seule à la cafétéria et j'essayais de finir un sandwich au thon qui goûtait le carton et la colle. Tout à coup, j'ai commencé à tousser et j'ai ressenti une douleur dans la gorge.

— Veux-tu un verre d'eau ou quelque chose ?

J'ai levé les yeux. C'était David. Je ne sais pas pourquoi, mais j'ai rougi.

— Non merci, l'ai-je assuré. Ça va mieux.

Il s'est assis à côté de moi.

— On dirait que tout le monde a attrapé le rhume ou la grippe.

— Moi, je vais bien, ai-je répliqué.

La gorge me brûlait et j'avais de la difficulté à avaler.

— Tant mieux, a-t-il dit. Je pensais que c'était peut-être à cause de ça qu'on ne s'était pas encore vus.

J'évitais de le regarder. Je ne pouvais pas lui dire que je m'arrangeais pour disparaître chaque fois que je le voyais.

— L'école est grande, ai-je dit. Est-ce que les enfants se sont bien amusés au lac, l'autre jour ?

— Pas tellement. Tu as bien fait de ne pas venir. Il faisait froid, et Marie-Ange est tombée malade. Elle a demandé de tes nouvelles, d'ailleurs.

— C'est vrai ?

J'ai souri en pensant à la petite.

— Elle voulait savoir quand la fille aux beaux grands cheveux allait revenir. Marie-Ange remarque toujours les beaux cheveux.

J'ai rougi encore. J'ai compris, à son regard, que ce compliment de Marie-Ange était aussi le sien.

— Est-ce qu'elle va mieux ?

— Elle a de bons et de mauvais jours, comme nous tous.

— Est-ce qu'elle habite Somerval avec sa famille ?

— Je crois que son père est mort quand elle était encore un bébé. Elle est venue d'une ville voisine avec sa mère. Le déménagement a été très dur pour elle, et elle s'ennuie parfois beaucoup.

On a beaucoup de choses en commun, Marie-Ange et moi.

— Tous les deux, ai-je dit tout bas, presque pour moi-même, vous n'avez pas l'air de vous plaindre de ce qui vous arrive.

— Pour Marie-Ange, je ne sais pas. Moi, je me suis longtemps apitoyé sur mon sort après avoir appris que j'étais leucémique. J'en voulais au monde entier.

— Comment t'en es-tu sorti ?

— Le groupe de soutien m'a aidé.

J'ai secoué la tête.

— Je ne pense pas que je pourrais parler de problèmes aussi intimes avec des inconnus.

— C'est ce que je pensais, moi aussi. Il a fallu que ma mère me traîne aux premières réunions. Et même là, je refusais de parler. Maintenant, ils ne sont plus capables de me faire taire, a-t-il ajouté en riant. Sérieusement, le groupe m'a beaucoup aidé. S'apitoyer sur son sort, c'est une grosse perte de temps. Ça t'empêche de vivre. Andrée nous dit toujours de voir le bon côté des choses, pas le mauvais. Ç'a vraiment l'air d'un cliché, mais ça marche.

Il y a eu un silence. J'ai remis le reste du sandwich dans son emballage.

— Ce n'est pas tout le monde qui peut faire ça, ai-je dit finalement.

— Peut-être, a admis David. Mais je parie que toi, tu le peux.

CHAPITRE 5

Durant les jours qui ont suivi, j'ai essayé d'ignorer mes maux de gorge, en me disant que c'était un simple rhume. Mais une nuit, je me suis réveillée avec de la fièvre et j'avais de la difficulté à respirer. Je suis allée frapper à la porte de la chambre de mes parents.

— Maman, je ne me sens pas bien, ai-je chuchoté.

Parler m'a fait tousser. La toux était rauque et sèche.

Maman s'est levée sur-le-champ et a pris sa robe de chambre.

— Retourne dans ton lit tout de suite, Kim. Je vais chercher le thermomètre et je te rejoins.

J'ai eu l'impression qu'il y avait des kilomètres jusqu'à ma chambre. Deux fois, j'ai dû m'arrêter et m'appuyer contre le mur du corridor. Finalement, quand je suis arrivée à mon lit, j'étais tellement gelée que j'ai dû ajouter une couverture. Un peu après, j'étais en nage, mais je n'avais pas la force de repousser les draps.

Maman est entrée et a pris ma température.

— Trente-sept virgule sept. Je crois qu'il faut appeler le docteur Hardy.

— C'est sûrement une grippe. À l'école, tout le monde l'a.

— Peut-être, a-t-elle dit, sans y croire.

Je savais précisément ce qu'elle pensait. La même chose que moi. Sida.

— S'il te plaît, maman, attends un peu avant d'appeler le docteur. Il n'y avait qu'une petite diminution de mes lymphocytes T à mon dernier relevé. Je suis certaine que ce n'est pas... que ce n'est rien de grave.

— C'est bon, mon chou, a-t-elle accepté à contrecœur. Essaie de dormir, maintenant. Demain, il n'y a pas d'école, tu pourras te reposer.

J'étais trop mal en point et trop épuisée pour discuter.

Mes parents ont téléphoné au docteur Hardy deux nuits plus tard. Ma température atteignait trente-neuf virgule neuf. Il nous a rejoints à la salle d'urgence de l'hôpital Saint-Étienne. Il avait l'air fripé, mais il était bien éveillé. Cette fois, il ne faisait pas de blagues. Il a ordonné une radiographie pulmonaire et d'autres tests.

— Qu'est-ce qui ne va pas, à votre avis ? a demandé mon père. Est-ce que c'est une pneumonie ?

— Allons parler dans la salle d'attente, a proposé ma mère avec un regard qui voulait dire : « Pas devant Kim. »

— Non, ai-je insisté. Je veux savoir, moi aussi.

Le docteur Hardy a approuvé et il s'est adressé à moi.

— Je veux que tu restes à l'hôpital pour qu'on puisse faire une bronchoscopie. Les personnes séropositives sont sujettes à une sorte de pneumonie opportuniste appelée *Pneumocystis carinii pneumonia*, ou PCP. On croit qu'elle est provoquée par un parasite microscopique transmis aux personnes durant leur petite enfance. L'infection demeure habituellement latente, mais elle se développe quand le système immunitaire est affaibli.

— Est-ce que la bronchoscopie est douloureuse ? ai-je demandé.

— Ne t'inquiète pas, on te fera une piqûre pour t'endormir. Tu auras un peu mal à la gorge après, c'est tout.

Je me souvenais vaguement d'avoir été à l'hôpital après l'accident d'auto, sept ans plus tôt. C'était comme un cauchemar. Des gens m'enfonçaient des aiguilles partout, et mon père me tenait la main en répétant : « Ça va aller, ça va aller. »

Pendant qu'ils me préparaient pour la bronchoscopie, je n'ai pas lâché sa main.

— Ça va aller, mon cœur, m'a-t-il chuchoté.

Je n'avais plus sept ans et ses paroles étaient loin de me rassurer, cette fois.

Ma mère travaillait le lendemain, mais mon père était là quand le docteur Hardy est entré dans ma chambre d'hôpital avec les résultats du test. Bonnes ou mauvaises nouvelles ? J'essayais de déchiffrer l'expression de son visage en retenant mon souffle. Si j'avais une PCP, ça voulait dire que le sida était entré en phase active, je le savais.

— Est-ce que tout va bien ? a demandé mon père.

— Est-ce que c'est une PCP ? ai-je murmuré.

Le docteur Hardy a fait signe que oui.

La chambre s'est embrouillée et assombrie. J'ai tourné la tête. Le sida. J'avais le sida. J'ai entendu vaguement le docteur Hardy parler.

— On va commencer un traitement antibiotique qui aide à combattre le virus. Il faudra que tu restes à l'hôpital quelques jours. Après, tu pourras aller au Manoir de l'Espoir, si tu le veux.

Comme je ne répondais pas, le docteur Hardy est venu s'asseoir sur mon lit.

— Regarde-moi, Kim. Attraper une PCP n'est plus aussi grave qu'avant. Il y a de nouveaux médicaments qui nous permettent de la combattre, mais il faut que tu luttes, toi aussi.

— Pour quoi faire ? ai-je dit. J'ai le sida, maintenant.

— Il y a de l'espoir, Kim. On en apprend de plus en plus sur le virus. Des chercheurs travaillent sans relâche pour mettre au point un traitement. Refuser d'espérer, c'est décider de mourir. Est-ce que c'est vraiment ce que tu veux ?

— Non ! ai-je crié. Mais je suis en train de mourir !

— Les gens ne sont pas en train de vivre ou en train de mourir, a-t-il dit en secouant la tête. Ils sont vivants ou ils sont morts. Tu te prépares à la mort, Kim, alors que tu devrais dire oui à la vie. Il y a du bonheur partout si on veut bien le voir. Lutte pour ta vie, Kim.

— Je ne sais pas comment, ai-je dit, les yeux pleins de larmes.

Le docteur Hardy a pris ma main doucement.

— Il faut que tu m'aides à te garder en santé. Je ne peux pas le faire tout seul. Aucun médecin ne le peut.

Je sentais les sanglots monter dans ma poitrine. Je me suis couchée sur le ventre en luttant pour les contenir et j'ai tourné la tête vers le mur.

— S'il vous plaît, j'aimerais rester seule un peu.

Mon père s'est approché et m'a embrassé sur les joues.

— Je ne pense pas que tu devrais rester seule, Kim. Tu pourrais avoir besoin...

— Plus tard, papa, l'ai-je interrompu. Va travailler. J'ai sommeil.

Ce n'était pas vrai. Même si j'étais épuisée parce que chacun de mes os me faisait mal, il n'était pas question de dormir.

— Très bien, Kim, a-t-il approuvé en caressant mes cheveux. Dors. Maman et moi, on reviendra te voir un peu plus tard.

Il m'a embrassée une dernière fois. Quand la porte s'est refermée derrière lui et le docteur Hardy, j'ai donné libre cours à la peur et à la panique. Les sanglots sont venus comme des vagues qui se brisent sur le rivage, et j'ai laissé couler mes larmes tant que je ne me suis pas sentie complètement vidée. Après, je me suis endormie, je pense.

Le lendemain après-midi, je regardais la télé sans vraiment voir ce qui se passait sur l'écran, quand on a frappé à la porte.

— Salut. Est-ce que je peux entrer ?

C'était David.

J'ai fermé le téléviseur et je me suis assise dans le lit. Je me sentais comme chiffonnée, et j'espérais que ça ne se voyait pas trop.

— Bien sûr, viens.

David a pris une chaise.

— Comment te sens-tu ?

— Assez bien. Juste un peu fatiguée, lui ai-je répondu en repoussant mes cheveux derrière mes épaules. Comment as-tu su que j'étais ici ?

— Je suis venu avec Marie-Ange pour ses examens et j'ai croisé le docteur Hardy.

— Est-ce qu'il t'a dit que j'avais attrapé une pneumonie ?

Mon cœur s'est mis à battre plus vite. Le docteur Hardy ne lui a tout de même pas dit que j'ai le sida !

David a gardé le silence pendant un moment.

— Kim, il y avait un garçon hémophile au manoir, l'an passé. Il a fait une pneumonie.

— Et puis après, ai-je répliqué vivement. Plein de gens en font.

— Je suis devenu pas mal ami avec Sylvain, a continué David, mais ç'a pris beaucoup de temps. Au début, il en voulait au monde entier. Il restait dans sa chambre, il ne voulait parler à personne.

Je me suis redressée en lui lançant un regard furieux.

— Quel est le rapport avec moi ?

— Sylvain te ressemblait beaucoup, a-t-il dit doucement en me regardant droit dans les yeux.

— Tu es au courant, pas vrai ?

Il a fait signe que oui.

— Je m'en doutais, même avant ta pneumonie. C'est une PCP, non ?

— Oui. Mon arrêt de mort.

Les mots sont restés dans ma gorge.

— Je suis vraiment désolé, Kim.

J'ai envoyé promener sa sympathie du revers de la main.

— Tu n'as pas peur de rester dans la même pièce que moi ?

— Seulement parce qu'un de mes microbes pourrait te faire du mal.

Nos regards se sont croisés, et j'ai étudié son visage un bon moment. Il n'y avait aucune trace du « regard ». « Il le pense pour vrai, me suis-je dit, il ne fera pas comme les autres à Clermont. »

— Tu n'en parleras à personne ?

— Si c'est ça que tu veux, m'a-t-il dit. Mais tu n'as aucune raison d'avoir honte, Kim.

— Tu ne dirais pas ça si on t'avait traité

comme je l'ai été, ai-je dit avec amertume. À mon ancienne école, personne ne voulait me parler, ni même me regarder, encore moins me toucher. Quelqu'un a lancé un caillou dans la fenêtre de ma chambre.

— Je suis sûr que ça n'a pas été facile, a-t-il dit en posant sa main sur la mienne. Mais jusqu'à quel point en as-tu souffert ? As-tu perdu tes cheveux, es-tu obligée de porter une jambe artificielle ? Est-ce que ça t'a rendue sourde ou aveugle ?

Il a fait un petit sourire en coin.

— As-tu attrapé le hoquet ou des pellicules ? Le pied d'athlète ? Un ongle incarné ?

— Tu es aussi nul que le docteur Hardy, lui ai-je dit, sans pouvoir m'empêcher de sourire.

— Alors, dans ce cas, tu vas me dire quelque chose : quelle est la pire chose qui pourrait arriver si on apprenait que tu as le sida ?

— Ils ne m'aimeront pas. Ils vont me fuir.

— Moi, je t'aime bien, même si je sais que tu as le sida.

— Les autres ne réagissent pas comme toi. S'ils le savaient à l'école, ils... ils...

Je me suis arrêtée en pensant à ce que David avait dit au sujet des enfants qui perdent leurs cheveux à cause d'une chimiothérapie, se font amputer d'une jambe ou d'un bras à cause d'un cancer des os, ou qui deviennent aveugles ou sourds.

— Je ne sais pas, ai-je fini par dire. Mais je ne veux pas qu'on le sache, pas maintenant.

— La question n'est pas là, a repris David en

hochant la tête. Ce que les autres pensent n'a pas d'importance, c'est ça que j'essaie de te dire. Ce qui est important, c'est ce que tu penses, toi. Et tu ne pourras pas vraiment vivre, Kim, tant que tu n'admettras pas que tu as le sida.

Mes yeux se sont remplis de larmes.

— Tout le monde me répète que je dois le combattre, et tu viens me dire que je dois l'accepter ?

— Je sais que ça peut paraître bizarre. Mais tu dois me faire confiance, je suis passé par là. Accepter la maladie, ça ne veut pas dire accepter la défaite. Moi, quand j'ai fini par accepter que j'étais leucémique et que je pouvais en mourir, je me suis senti moins impuissant. J'étais presque... libéré.

— Et qu'est-ce que ça peut bien donner ? lui ai-je demandé. J'ai vu des photos de sidéens en phase terminale. Ils sont squelettiques. Quelle différence ça fait, pour eux, d'accepter ou non ?

— Ça ne change rien à ta maladie, mais ça te permet de profiter au maximum de chaque minute qui te reste. Et peut-être que guérir n'est pas le principal. Peut-être que c'est plus important d'avoir ... comment dire... une paix intérieure.

David regardait ailleurs, loin, comme s'il s'adressait à lui-même autant qu'à moi. Il a secoué la tête, comme pour mettre de l'ordre dans ses idées.

— Imagine que le docteur Hardy vient de t'apprendre qu'il ne te reste qu'une semaine à vivre. Qu'est-ce que tu ferais de ce temps ?

— Je ne sais pas… Peut-être que j'irais patiner si j'en étais capable. Mais pour le moment…

— Bon. Maintenant, essaie de voir la patinoire.

— Mais qu'est-ce que tu racontes ?

— C'est simple. Ferme les yeux et détends-toi. Essaie de te faire une image précise de la patinoire, puis saute sur la glace.

Je l'ai regardé avec méfiance.

— Kii-im ! a-t-il grogné en me lançant un oreiller. Fais un effort ! J'ai plus d'expérience de la maladie que tu peux en avoir, et je te jure que je commence à être plutôt doué. Alors, fais-moi plaisir et fais ce que je te demande, sinon…

— Bon, bon. Je ferme les yeux. Je vois la patinoire.

— Comment es-tu habillée ?

— C'est idiot, ai-je dit en ouvrant les yeux.

— Attention ! m'a-t-il dit en agitant son index.

J'ai fermé les yeux et j'ai imaginé une patinoire, celle de Clermont que je connaissais comme le fond de ma poche. J'ai vu la glace dure et luisante, et j'ai entendu la musique des haut-parleurs. Je portais un costume que j'avais vu sur une patineuse olympique — un haut en velours noir, avec des paillettes et des perles, et une jupe légère comme de la fumée. Je pouvais sentir le froid, sentir la morsure de mon patin dans la glace pendant que j'exécutais une boucle. Un faisceau de lumière colorée suivait chacun de mes mouvements, et le rythme de la musique me traversait le corps. Je me sentais puissante, forte, belle. J'ai fini avec une pirouette assise, et un tonnerre d'applaudissements a éclaté. J'ai fait une révérence, j'ai salué de la main… et j'ai ouvert les yeux.

David m'a souri.

— Comment c'était ?

— Pas mal, ai-je admis. Et je ne suis même pas essoufflée.

Pour la première fois, je voyais une lueur d'espoir. Pas l'espoir de guérir, juste une chance de retrouver goût à la vie. Quand David est parti en me promettant de revenir bientôt, je me suis aperçue que je souriais.

« Étrange, ai-je pensé. J'ai le sida. Je viens d'apprendre qu'il est entré en phase active et je souris. »

CHAPITRE 6

Le jour où le docteur Hardy m'a donné mon congé, mon père est venu me reconduire en voiture jusqu'au manoir. Assez curieusement, je me sentais comme à la veille d'une compétition : nerveuse et excitée, comme si mon estomac faisait des boucles sautées et des pirouettes assises.

Madame Ayotte était à la réception.

— Bonjour, Kim, on t'attendait.

Elle s'est présentée à mon père et lui as remis des papiers.

— Pendant que vous remplissez les formulaires d'admission, Kim va monter à sa chambre. Vous pourrez la rejoindre dès qu'elle sera installée.

Elle s'est retournée vers un grand rouquin.

— Roger, veux-tu prendre un fauteuil roulant et mener Kim à sa chambre, s'il te plaît.

Roger devait approcher de la trentaine. Il était grand et maigre, couvert de taches de rousseur, et il avait des touffes de cheveux qui frisaient dans tous les sens. Il n'arrêtait pas de les aplatir, ce qui les faisait retrousser ailleurs sur sa tête.

Avec le fauteuil roulant qu'il a pris près de la

porte, Roger a réussi à frapper le bureau deux fois avant d'arriver jusqu'à moi. Il a été plus efficace et plus délicat quand il m'a aidée à m'asseoir, mais il a laissé tomber ma valise sur son pied avant de la déposer sur mes genoux. « Ça promet », ai-je pensé en jetant un œil inquiet vers l'ascenseur. Mais on a fini par arriver sains et saufs à ma chambre.

Elle était spacieuse et gaie. Il y avait deux lits. Elle ne ressemblait pas du tout à une chambre d'hôpital, avec son épais tapis rose et son papier peint fleuri. J'aurais pu me croire dans un hôtel chic, mis à part le support à intraveineuse que j'ai vu dans un coin.

— Voilà, c'est ta chambre, a dit Roger qui a failli renverser une lampe de chevet en faisant un grand geste des bras. Ça, c'est ta moitié de chambre. L'autre est à Rachel Harnois. Elle a à peu près ton âge, a-t-il ajouté en me toisant.

Il a pris ma valise et l'a déposée par terre.

— As-tu besoin d'aide pour te mettre au lit ?

— Non, ai-je répondu en vitesse.

— Pas de problème. Je suis infirmier, m'a-t-il annoncé avec fierté. Infirmier Roger Fecteau, à votre service.

— Oh ! ai-je dit, à moitié rassurée, merci ! Je vais juste m'étendre et me reposer quelques minutes.

Roger a replié le couvre-lit en prenant bien soin d'éviter les faux plis, et il a tapoté l'oreiller.

— Je vais défaire ta valise.

Avec des gestes rapides et précis, il a rangé mes

vêtements dans les tiroirs de la commode et accroché ma robe et mon manteau dans l'armoire. Comme il retirait les derniers articles de ma valise, le couvercle lui est tombé sur les doigts.

— Oups ! a-t-il dit, parfaitement imperturbable.

Je n'ai pas pu m'empêcher de rire. Je me suis demandé s'il n'était pas en train de jouer une espèce de comédie à mon intention.

Il a placé mon peigne, ma brosse et ma trousse de maquillage sur la commode.

— Veux-tu que je mette ton magnétophone et tes cassettes dans le tiroir ou à côté du lit ?

— À côté du lit, s'il vous plaît, lui ai-je dit en souhaitant qu'ils ne lui glissent pas des mains.

Il montrait tant de bonne volonté et faisait tant d'efforts que je ne pouvais que l'aimer. Mais je voulais qu'il parte, pour pouvoir me reposer. J'étais éreintée. J'ai bâillé et j'ai fermé les yeux.

Roger a compris tout de suite. Il a posé sur moi une couverture légère, a baissé le store et s'est rendu jusqu'à la porte sur la pointe des pieds... où il a trébuché sur le seuil, juste pour gâter la sauce. Je me suis endormie, avec le sourire aux lèvres.

Au cours de l'heure suivante, j'ai eu vaguement conscience que des gens s'agitaient autour du lit et qu'on enfonçait une aiguille dans mon bras. Ils ne sont pas restés longtemps, heureusement, car ça m'aurait demandé trop d'énergie de me réveiller complètement. Ensuite, je me suis rendu compte que quelqu'un me secouait doucement l'épaule.

— Kim ?

Je me suis réveillée en sursaut, complètement désorientée. J'étais dans une chambre inconnue, branchée à un goutte-à-goutte. Quand j'ai vu madame Ayotte, je me suis rappelé où j'étais.

— Ouf ! J'étais vraiment partie, ai-je dit. Je ne me souviens même pas d'avoir été branchée à cette chose.

— Je voulais savoir si tu avais faim, m'a-t-elle expliqué. Tu as dormi comme une souche durant l'heure du dîner.

J'ai regardé ma montre. Il était trois heures.

— Je n'ai pas vraiment faim, ai-je répondu. Où est mon père ?

— Il est parti travailler. Tu étais déjà endormie quand il est monté, et il n'a pas voulu te déranger. Il m'a dit qu'il reviendrait plus tard, avec ta mère. Et il a dit qu'il t'aimait.

Elle souriait.

— Je lui ai assuré que tu étais entre bonnes mains et que je m'occuperais de toi.

— Merci, madame Ayotte, lui ai-je dit en soupirant. Ils s'inquiètent énormément pour moi.

— C'est à ça que servent les parents, a-t-elle dit. Je me fais encore du souci pour mes cinq enfants, même s'ils sont devenus grands.

Après le départ de madame Ayotte, j'ai décidé de me maquiller. C'était un peu difficile avec cette aiguille dans mon bras gauche, mais je m'en suis assez bien tirée. Puis je me suis brossé les cheveux en regardant le ciel gris et pluvieux par la fenêtre.

— Y a quelqu'un ?

Je me suis retournée et j'ai vu David. Sa veste et ses cheveux étaient trempés par la pluie, mais il avait l'air heureux.

— Madame Ayotte m'a dit que tu étais réveillée.

Il m'a tendu un pot de fleurs jaune serin et une cassette.

— Tiens, c'est pour toi.

— Merci beaucoup, David. Elles sont superbes.

J'ai placé les fleurs sur ma table de chevet. David ne me lâchait pas des yeux.

— Tu as l'air en forme.

— Je me sens mieux. Ma fièvre est tombée, mais je suis encore très fatiguée.

— J'ai eu des jours comme ça, a-t-il dit en hochant la tête.

— J'ai l'impression que je vais devoir rester ici un mois pour récupérer. Les études vont en prendre un coup.

— Ne t'en fais pas. Tu auras des cours particuliers ici. Et puis un mois, ça va te donner le temps de faire connaissance avec les autres jeunes du manoir.

J'ai changé de position dans le lit.

— Je ne sais pas, David. Je ne voudrais pas que les autres soient au courant.

— Personne ne t'oblige à en parler si tu n'y tiens pas.

— Pourtant, tu étais au courant pour le garçon hémophile, l'an dernier…

— Il n'essayait pas de le cacher.

David s'est détourné et s'est approché de la fenêtre. La pluie fouettait la vitre.

— De toute façon, ça n'a plus d'importance, maintenant, a-t-il dit en me faisant face. Il est mort.

— Oh ! super ! Merci pour le renseignement, ai-je dit ironiquement. Le docteur Hardy et toi, vous me racontez toutes ces salades sur l'espoir et la pensée positive, et puis tu viens me rappeler que je vais mourir ?

David m'a lancé un regard furieux, le visage en feu.

— Pourquoi penses-tu toujours à la mort, au lieu de penser à la vie ? a-t-il crié.

— Laisse-moi tranquille, lui ai-je crié à mon tour. Et puis qu'est-ce que ça peut bien te faire ?

— Ça me fait quelque chose !

Pendant une minute, on s'est regardés en silence.

— Je me fâche seulement contre les personnes que j'aime, m'a-t-il dit.

Je me suis laissé attendrir. Qu'est-ce que j'aurais pu dire ? Est-ce que je pouvais me fâcher contre quelqu'un qui venait de me dire qu'il s'en faisait pour moi ? J'ai pris le pot de fleurs.

— On devrait faire plus attention. On va nuire à leur croissance avec nos disputes.

C'était à mon tour de le faire rire, et j'en étais contente. Peu après, madame Ayotte est venue prendre mon pouls et ma température.

— Je crois que je vais aller travailler, a dit David.

— Encore une fois, merci pour les fleurs et la cassette.

— La musique, c'est pour les fleurs, pas pour toi, a-t-il ricané en passant la porte.

Madame Ayotte m'a mis un thermomètre dans la bouche et a pris mon pouls. La pluie battait si fort contre la fenêtre que j'entendais à peine ce qu'elle me disait.

— J'espère que la pluie va diminuer d'ici mon départ, a-t-elle soupiré en remplissant mon dossier. Quelle journée !

« Il peut bien tomber des clous dehors, ai-je pensé, ça fait longtemps que je ne me suis pas sentie aussi bien qu'ici. » Je commençais même à avoir faim.

Quand Madame Ayotte est partie, je me suis assise dans le lit et j'ai fait jouer la cassette que David m'avait donnée. C'était le dernier album de Richard Séguin. J'étais en train de demander aux fleurs si elles écoutaient quand la porte s'est ouverte. Une fille aux longs cheveux noirs est entrée. Elle aurait été jolie, si elle n'avait pas été si maigre. Elle a envoyé valser ses souliers et s'est assise en tailleur sur le lit.

— Salut. Je m'appelle Rachel Harnois. Kim, je suppose ?

J'ai fermé le magnétophone.

— Oui, Kim Robert, lui ai-je répondu en

même temps que mon estomac gargouillait bruyamment. Sais-tu à quelle heure on sert le souper ?

— Vers cinq heures. Mais crois-moi, il n'y a pas de quoi s'impatienter, a-t-elle affirmé en hochant la tête. Je déteste la nourriture ici. Mais madame Ayotte s'emporte si on ne vide pas son assiette.

Ça ne ressemblait pas à la madame Ayotte que je connaissais, mais je n'ai rien dit.

— Peut-être que je n'aime pas les infirmières, tout simplement, a-t-elle continué. Madame Généreux est bien gentille, mais elle appelle tout le monde « mon amour », même ceux qu'on aurait dû écrabouiller à leur naissance. Il y a aussi Roger l'Empoté, qui serait capable de buter contre un grain de poussière.

Elle a ouvert une énorme trousse de maquillage sur le lit et a commencé à se démaquiller. À l'aide d'un miroir de poche, elle a soigneusement effacé son fard à paupières.

— J'aimerais bien qu'ils installent un meilleur éclairage ici, a-t-elle dit.

J'ai détourné les yeux. Le visage de Rachel était tellement maigre que ses pommettes avaient l'air cassantes et tranchantes.

— Est-ce que tu connais les bénévoles ici ? lui ai-je demandé du ton le plus naturel possible.

— Oh ! bien sûr ! Il y a une fille qui s'appelle Aline Kirouac. Elle est nulle à la guitare. Il y a aussi David Richard. Lui, il est plutôt beau garçon.

— Je l'ai rencontré.

— C'est lui qui t'a donné la cassette que tu écoutais quand je suis entrée, pas vrai ?

— Comment le sais-tu ? ai-je demandé en hochant la tête lentement.

— Il m'a donné une de ces choses bébêtes à moi aussi. Franchement ! a-t-elle dit en éclatant de rire. Peut-être qu'il touche des droits sur chaque cassette.

— Peut-être bien, oui.

J'ai essayé de cacher mon désappointement. Je pensais que David avait un penchant pour moi.

CHAPITRE 7

Deux jours plus tard, mon infection pulmonaire a commencé à se résorber, et j'ai pu prendre mes antibiotiques en comprimés plutôt qu'au goutte-à-goutte.

— Tu peux prendre tes repas dans la salle à manger, maintenant, a dit madame Ayotte d'un ton encourageant. Suis-moi, je vais te présenter à tout le monde.

Il y avait deux tables dans la grande salle à manger, une longue pour les adultes et les enfants les plus âgés, et une ronde, plus basse, pour les tout-petits.

Madame Ayotte m'a présentée à un grand monsieur à l'air distingué.

— Docteur Gravel, je vous présente notre nouvelle pensionnaire, Kim Robert. Kim, voici le docteur Gravel, le directeur du Manoir de l'Espoir.

— J'ai fais la connaissance de tes parents, Kim, m'a-t-il dit d'une voix chaude et agréable. J'espère que tu seras heureuse parmi nous.

— Merci. Jusqu'à maintenant, tout va bien.

Pendant que nous parlions, une belle femme est

arrivée en compagnie du docteur Hardy. Quand le docteur Gravel l'a vue, son visage s'est illuminé.

— Émilie, j'aimerais te présenter Kim Robert, a-t-il dit. Kim, voici le docteur Ambroise, l'une de nos internes en pédiatrie. Tu connais déjà le docteur Hardy, je crois.

— Nous devrions prendre place, m'a dit madame Ayotte. Madame Bradette n'aime pas ça quand le repas est prêt et qu'on ne l'est pas.

Elle a tiré la chaise à côté de celle du docteur Hardy.

— Je pense que quelqu'un essaie d'attirer ton attention, Kim, m'a dit le docteur Hardy.

Il pointait le doigt vers la table ronde où Roger était assis avec Marie-Ange, Alex et plusieurs autres enfants.

Marie-Ange agitait frénétiquement les bras.

— Viens t'asseoir avec moi, m'a-t-elle crié.

— Je peux ? ai-je demandé au docteur Hardy.

— Mais oui, si ça ne te dérange pas de dîner les genoux sous le menton.

Je suis allée m'asseoir à côté de Marie-Ange. Elle portait sa casquette de baseball rouge, un jean et un coton ouaté. Elle a pris ma main.

— C'est mon amie Kim, a-t-elle déclaré fièrement aux autres enfants.

Puis elle m'a regardée, les yeux pleins d'espoir.

— Est-ce que tu vas venir vivre ici ?

— Un bout de temps, lui ai-je répondu.

— Youppi ! Youppi ! Est-ce que tu vas me

raconter une histoire, ce soir ? Je veux toi, au lieu de Roger.

— Bien sûr, si les infirmières sont d'accord.

Madame Bradette est entrée en poussant un gros chariot rempli de casseroles fumantes. Elle a d'abord servi la petite table, nous donnant, à Roger et à moi, des portions plus généreuses de pain de viande, de croquettes de pommes de terre, de pois et de carottes. D'habitude j'aime le pain de viande, mais l'odeur prononcée de la viande m'a soulevé le cœur.

Quand madame Bradette s'est éloignée, Alex a fait la grimace en grognant.

— Pas encore du pain de viande. J'aime pas ça.

— Moi non plus, a repris Marie-Ange en imitant la grimace d'Alex.

— C'est bizarre. Moi, j'adore ça, ai-je dit en me pourléchant les lèvres. Miammm, c'est bon !

Marie-Ange a pris une bouchée.

— Moi aussi, j'aime ça.

J'étais contente de voir Marie-Ange manger, mais j'aurais mieux fait de me taire. Il fallait maintenant que je vide mon assiette pour donner le bon exemple, et je n'étais pas certaine d'en être capable.

Marie-Ange parlait du plaisir qu'elle avait eu, ce matin-là, à jouer au basket avec Roger et Alex. Pendant qu'il posait une devinette, Roger a laissé tomber de sa fourchette quelques pois qui ont roulé sur la table avant de tomber par terre. Les petits ont ri avec joie, ravis, et Roger a ri avec eux. Ça crevait les yeux : les enfants l'adoraient et voyaient sa maladresse comme une blague à leur intention.

Avant que j'aie pu m'en rendre compte, le repas était terminé, et j'avais tout englouti. Je n'avais pas mangé comme ça depuis des mois.

Je me suis rendue à la bibliothèque du manoir. Je cherchais un livre à lire à Marie-Ange quand je suis tombée par hasard sur Andrée.

— Kim ! s'est-elle exclamée. J'ai été peinée d'apprendre la nouvelle, pour ta pneumonie, mais je suis heureuse que tu sois ici. Je t'ai vue dîner à la table des enfants. C'était gentil de faire ça.

— Je pense que ça m'a fait plus de bien qu'à eux, ai-je reconnu. C'est difficile de s'apitoyer sur soi quand on est avec Marie-Ange.

— C'est vrai, elle a un effet bénéfique sur les gens, a approuvé Andrée. J'aimerais bien pouvoir embouteiller son énergie !

— Elle m'a demandé de lui lire une histoire, ce soir. Est-ce que vous savez où sont les livres d'images ?

— C'est par là, m'a-t-elle dit en m'indiquant les étagères du bas, de l'autre côté de la salle. En passant, on a une réunion du groupe de soutien à trois heures, cet après-midi. Est-ce que ça te tente de venir ?

— Est-ce qu'il le faut ?

— Pas du tout, c'est toi qui décides, a-t-elle dit en se dirigeant vers la sortie. Mais j'espère bien te voir.

J'ai choisi quelques livres pour plaire à Marie-Ange et deux ou trois livres de poche pour moi.

En montant à ma chambre, je me suis surprise à penser à David. Je ne l'avais pas revu depuis qu'il m'avait donné les fleurs et la cassette. Tout à coup, ces deux jours m'ont paru bien longs. Malgré moi, il me manquait.

« Il sera probablement à la réunion du groupe de soutien, me suis-je dit. Après tout, qu'est-ce que ça fait s'il donne des cassettes à tout le monde ? Ça veut juste dire qu'il veut aider les autres. Qu'est-ce que ça peut bien faire si je ne suis pas la seule personne qui compte pour lui ? Ça ne me fera pas mourir d'aller à cette réunion. »

— Nous avons une nouvelle recrue aujourd'hui, a annoncé Andrée en m'adressant un sourire à la réunion. Alors, chacun, à tour de rôle, va se présenter et mentionner quelque chose qu'il aime beaucoup. Veux-tu commencer, David ?

— Je m'appelle David Richard.

Il m'a regardée en souriant.

— J'aime la neige.

Andrée s'est tournée vers la voisine de David.

— Je suis Aline Kirouac, a-t-elle dit en ramenant ses cheveux noirs et brillants derrière ses oreilles. J'aime chanter et jouer de la guitare.

Mes yeux sont tombés sur le voisin d'Aline, mais je les ai détournés sur-le-champ. Son visage était couvert de vilaines cicatrices de brûlures.

— Je m'appelle Arthur Masson, a-t-il dit. J'aime lire des livres d'astronomie.

Andrée a attendu pour voir s'il ajouterait quelque chose, mais il a baissé les yeux vers ses mains mutilées.

Rachel était la suivante. Elle s'est présentée en déclarant qu'elle aimait courir les boutiques. La suivante était très jolie, à part son air bougon et ses paupières tombantes.

— Moi, je suis Julie Lombard.

Sa voix était un peu pâteuse, comme si elle avait du mal à remuer sa langue. Rageusement, elle s'est essuyé la bouche avec un vieux mouchoir de papier.

— Je n'ai rien à dire.

C'était mon tour.

— Je m'appelle Kim Robert, ai-je dit d'une voix hésitante. J'aime faire du patin.

— Et tout le monde me connaît, évidemment, a dit Andrée pour conclure. J'aime le chocolat, et il m'aime aussi.

Elle s'est tapoté les hanches en souriant.

— J'aimerais rappeler certaines de nos conventions. D'abord et avant tout, la discrétion : tout ce qui se dit ici doit rester ici. Deuxièmement, on essaie de se respecter les uns les autres et de ne pas interrompre ceux qui prennent la parole. Troisièmement, souvenez-vous que le groupe vous appartient à vous tous. C'est vous qui en faites ce qu'il est.

Andrée nous a regardés.

— Bon, est-ce que quelqu'un voudrait partager quelque chose avec le groupe ?

— Moi, a dit Arthur.

Pendant qu'il parlait, je me suis obligée à regarder son visage, mais j'ai vite détourné les yeux, de peur qu'il ne pense que je le dévisageais.

— Vous allez être fiers de moi, a-t-il commencé. Samedi, je suis allé au bar laitier. C'était plein à craquer, mais je me suis assis et j'ai commandé la coupe Extra : trois sortes de crème glacée sur trois sortes de gâteau au fromage.

— Dégueulasse ! s'est exclamée Rachel.

— Ouais, a-t-il répondu joyeusement. C'est à peine si j'ai pu prendre une bouchée, mais je suis resté assis là. J'ai décidé que j'avais le droit d'être là autant que n'importe qui. Évidemment, je savais que tout le monde me dévisageait. Mais c'est drôle, quand je levais les yeux, ils regardaient tous ailleurs.

« Comme moi », ai-je pensé en me sentant coupable. J'ai arrêté de fixer mes mains et j'ai regardé Arthur, en me concentrant sur ses yeux bleus brillants et remplis d'une joie véritable.

— J'ai même parlé avec un gars que je ne connaissais pas, a-t-il continué. Le pauvre gars ne savait pas où se mettre. Je me suis souvenu que je l'avais vu dans l'équipe de baseball, alors je me suis mis à parler des équipes professionnelles. Ça n'a pas été bien long avant qu'il me regarde et qu'on se dispute pour déterminer la meilleure équipe. C'était vraiment incroyable !

Tout le monde s'est mis à applaudir, et David s'est levé, imité par les autres.

— Génial, mon vieux ! s'est-il écrié.

— J'aurais aimé voir ça, a dit Aline.

J'ai regardé le groupe. Ils étaient tous vraiment heureux pour Arthur, même Julie. « Ça lui a pris beaucoup de courage, ai-je pensé. Est-ce que j'aurais pu en faire autant ? »

— Je sais que je ne suis pas très beau, a avoué Arthur après les applaudissements, mais quand j'ai parlé avec le gars, il a oublié mon apparence. Il m'a parlé à moi, à la personne que je suis en dedans.

— Tu as fait beaucoup de progrès, lui a dit Andrée. Tu peux être très fier de toi. Quelqu'un d'autre veut parler ? a-t-elle demandé en jetant un regard à la ronde.

Tout le monde a fait signe que non.

— Bon. Dans ce cas, je vais vous parler des pensées négatives, a-t-elle dit en me regardant. Celles qui sont stériles et qui ne servent à rien. Par exemple : « Ce n'est pas juste. Pourquoi est-ce que ça m'arrive à moi ? »

Ils semblaient tous attendre que je parle.

— Euh, je pense que j'en ai beaucoup, ai-je risqué.

— Il n'y a pas une personne au monde qui n'en a pas, a affirmé Andrée. L'important, c'est de savoir comment se débrouiller avec ces pensées. J'aimerais que chacun dise comment il s'y prend avec ses pensées négatives.

Aline a commencé.

— Chaque fois que je m'aperçois que j'en ai une, je la note. Après, j'essaie de voir comment je pourrais la transformer en pensée positive, et je note ça aussi.

— Moi, j'essaie d'en rire, a dit David. Quand il y en a une qui me traverse l'esprit, je lui parle : « Fiche le camp, tu perds ton temps. »

— Après l'incendie, c'est tout ce que j'avais, des pensées négatives, a avoué Arthur. Mais au bar laitier, samedi, je n'en avais pas du tout.

On a parlé des pensées négatives encore un peu, puis Andrée nous a donné un devoir.

— Je crois que l'idée d'Aline est bonne. D'ici la prochaine réunion, on va tous noter nos pensées négatives, et on va essayer de les transformer en pensées positives.

Pour clôturer la séance, Andrée a récité un texte que tous les autres semblaient connaître par cœur : « Essaie de vivre pleinement chaque journée. Regarde l'avenir avec confiance et le passé sans regrets. N'aie pas peur d'être heureux. Donne toujours le meilleur de toi-même. »

J'allais quitter la salle quand David m'a entraînée à l'écart.

— Qu'est-ce qu'il y a ? lui ai-je demandé.

— Je... euh... je voulais juste te dire bonjour, a-t-il bégayé, embarrassé. Est-ce que tu aimes ça, au manoir ? Tu t'entends bien avec Rachel ?

Je n'ai pas pu m'empêcher de sourire. Ma présence l'intimidait. Est-ce qu'il était embarrassé parce qu'il s'en faisait pour moi ? Ce n'était pas désagréable de le voir perdre les pédales, pour une fois.

— Je vais bien. Le manoir est bien. Rachel est bien, lui ai-je répondu. Mais je la trouve tellement maigre, David, et elle ne mange rien. Elle est anorexique, c'est ça ?

Il a fait signe que oui.

— Mais elle va beaucoup mieux depuis qu'elle est ici. Le groupe de soutien l'a énormément aidée.

Il me regardait comme s'il attendait une réaction de ma part.

— D'accord. Je dois admettre que le groupe de soutien a du bon. Même si les autres n'ont pas... ce que j'ai, ils ressentent les mêmes choses que moi. Arthur m'a beaucoup impressionnée. Je ne pense pas que je m'en sortirais aussi bien que lui si j'avais le même problème.

— Ne sois pas découragée, Kim. Tu commences déjà à regarder tes problèmes en face, non ?

— Pas comme Arthur et toi, ai-je dit en hochant la tête.

— Ça viendra, m'a-t-il assurée avec un sourire en coin. C'est contagieux.

À l'heure du coucher, je suis allée à la chambre de Marie-Ange pour lui lire une histoire. Elle était déjà installée dans son lit, sa casquette bien calée sur sa tête. L'autre lit était vide.

— Je suis contente, tu n'as pas oublié, m'a-t-elle dit en tournant les yeux vers l'autre lit, fraîchement fait. Je suis toute seule, maintenant. Christiane est partie à l'hôpital.

Marie-Ange m'a fait une place et je me suis assise à côté d'elle.

— J'ai trouvé ces livres-là à la bibliothèque. Je commence par lequel ?

Elle a regardé les couvertures.

— Ça fait un million de fois que je les entends. Peux-tu me raconter une histoire comme grand-maman Rose ? Une histoire inventée, pas dans les livres ?

— Je peux essayer. Quand j'avais ton âge, mon papa me racontait les aventures d'une petite remorque qui s'appelait Bibi Labrouette. Tu sais ce que c'est, une remorque ?

Elle a fait signe que oui.

— Raconte-moi l'histoire de Bibi.

J'ai fermé les yeux un moment. J'ai entendu la voix de mon père et je me suis souvenue des sentiments de bien-être et de sécurité que j'éprouvais à cette époque.

« Il était une fois une petite remorque qui s'appelait Bibi Labrouette. Elle était très malheureuse parce qu'elle devait déménager. Toute triste, elle faisait clignoter ses feux arrière.

— Je ne veux pas m'en aller, disait-elle à son ami Grégoire Lavadrouille, une énorme caravane.

— Tu vas aimer ça là-bas, lui disait Grégoire. Il fait beau tout le temps. Les fleurs poussent toute l'année. Essaie de voir ça comme quelque chose d'amusant, comme des grandes vacances.

— Mais je vais m'ennuyer de tous mes amis !

disait Bibi en pleurant. J'ai peur. Je ne suis jamais allée aussi loin de la maison.

— N'aie pas peur, a dit Grégoire, et essaie de dormir, maintenant. Je vais laisser un de mes feux arrière allumé pour toi. »

Quand j'ai fini mon histoire, Marie-Ange dormait. Elle avait l'air si fragile et si pâle... Je me suis penchée pour l'embrasser sur le front.

— Est-ce que Bibi avait peur du noir ? a-t-elle demandé en rouvrant les yeux.

J'ai fait signe que oui.

— Moi, je n'ai pas peur du noir, a-elle affirmé, comme si elle essayait de se convaincre.

— On a tous peur de quelque chose, lui ai-je confié en me penchant vers son oreille. Je vais te dire un secret : j'ai peur des araignées.

« Et de mourir », ai-je ajouté en silence.

— Tu racontes des bonnes histoires, a dit Marie-Ange, aussi bonnes que celles de grand-maman Rose.

Elle s'est assise dans le lit, tout excitée.

— Je vais la voir bientôt.

— Est-ce qu'elle habite où tu habitais ? ai-je demandé.

Marie-Ange a secoué la tête.

— Non, elle est au ciel.

Un frisson m'a parcouru le dos. Elle savait. Elle savait qu'elle était leucémique et qu'elle allait peut-être mourir. J'en suis restée étourdie, incapable de dire un seul mot.

— Grand-maman Rose, papa et moi, on va s'asseoir sur un gros, gros nuage, a-t-elle continué en étendant ses bras, les yeux brillants. On va regarder en bas et on va envoyer la main à maman et à tout le monde.

Je n'arrivais pas à le croire. Marie-Ange avait peur du noir, mais elle n'avait pas peur de mourir.

— Ça va être super, suis-je parvenue à dire en battant des paupières pour chasser mes larmes.

Le sourire de Marie-Ange s'est effacé.

— Je vais m'ennuyer de maman et de David et de Roger, a-t-elle dit en se blottissant dans mes bras, et de toi.

Je l'ai serrée très fort en me demandant laquelle des deux était en train de réconforter l'autre.

CHAPITRE 8

Une dizaine de jours plus tard, j'étais prête à quitter le manoir. J'étais en train de faire ma valise quand David a frappé à ma porte.

— Besoin d'un coup de main ?

— Merci, j'ai presque fini. Ma mère sera là dans quelques minutes.

J'ai fermé ma trousse de maquillage et l'ai mise dans ma valise.

— Je n'arrive pas à croire que je rentre à la maison. Je pensais rester au manoir au moins un mois.

— Tout le monde va s'ennuyer de toi.

« Tout le monde ou toi » ? me suis-je demandé. On avait passé beaucoup de temps ensemble. Lui, il me manquerait.

— Merci, David. Moi aussi, je vais m'ennuyer de... tout le monde. Mais je vais revenir toutes les semaines pour les réunions du groupe.

David jouait avec la poignée de la porte.

— Je pense aller au lac Massicotte, samedi prochain. Est-ce que ça te tente de venir ?

— Absolument, ai-je dit en prenant mes souliers dans l'armoire. Le grand air va me faire du bien, et je m'amuse toujours avec les enfants.

Il balançait maintenant la porte dans un mouvement de va-et-vient.

— Je voulais dire, juste toi et moi.

Mon soulier a fait un bruit sourd en tombant.

— Oh !

David a lâché la porte et m'a regardée.

— J'aimerais te montrer mes coins préférés, a-t-il dit avec un sourire plein d'espoir.

Peut-être qu'il avait un faible pour moi, après tout.

— Ça me tente, lui ai-je répondu en lui rendant son sourire.

Je n'avais pas prévu les objections de ma mère. J'ai abordé le sujet pendant qu'on faisait la vaisselle, ce soir-là.

— Kim Robert, m'a-t-elle grondée. Tu te remets à peine d'une grave maladie. Tu ne peux quand même pas te mettre à faire des galipettes aux quatre vents.

— Et si je te promets d'oublier les galipettes ?

Ses lèvres ont bougé, mais son visage est resté sérieux.

— Kim, tu sais très bien ce que je veux dire.

J'ai essayé une autre approche.

— Le docteur Hardy dit que je vais assez bien pour reprendre mes cours. Si je peux retourner à l'école, je peux faire quelque chose d'amusant, non ?

— Ça va t'exténuer de t'occuper de tous ces enfants.

J'ai décidé de ne pas mentionner que les enfants n'y seraient pas, cette fois-ci.

— Je te promets de faire bien attention et de me reposer toute la journée, dimanche. Est-ce que je peux y aller ? S'il te plaît ?

— Je ne crois pas que c'est une bonne idée, mais si tu y tiens tellement... a-t-elle dit en soupirant.

Je l'ai serrée dans mes bras et je l'ai embrassée.

— Merci, maman, ai-je dit, et j'ai filé avant qu'elle ne change d'idée.

Cette semaine a été une des plus longues de ma vie, mais le samedi est enfin arrivé. Je n'avais pas encore réussi à décider comment j'allais m'habiller. Toute ma garde-robe y était passée, et mon lit était couvert d'une montagne de vêtements. J'ai finalement choisi un coton ouaté rose pâle et mon jean le plus délavé, même si c'était ce que j'avais essayé en premier.

Je me suis examinée dans le miroir. « Pas mal du tout », me suis-je dit. Rachel m'avait refilé quelques trucs de maquillage, et le kilo que j'avais pris m'arrondissait le visage. Ma mine réjouie et épanouie me rappelait l'apparence que j'avais avant.

Ma mère était déjà partie pour son travail quand David est arrivé, mais mon père était là. Il remplissait la déclaration de revenus d'un client. Pendant qu'ils discutaient ensemble, j'ai été frappée par la maturité de David, et aussi par son aisance avec les personnes de tous les âges. Je me suis demandé si cela était naturel ou si c'était à cause de sa maladie.

Quand on est partis, mon père m'a rappelé pour la centième fois de ne pas trop me fatiguer.

— Oui, papa. Non, papa. Bonjour, papa.

— Est-ce que tes parents sont comme ça, toujours sur ton dos ? ai-je demandé à David pendant qu'on marchait vers l'arrêt d'autobus.

— Ils me tombaient sur les nerfs, au début, m'a-t-il avoué en souriant. Mais je les ai dressés.

Le trajet jusqu'au lac n'a duré qu'une quinzaine de minutes, mais on était plutôt à l'étroit sur la banquette, et j'en étais très consciente. David était beau comme un cœur dans son chandail blanc, son jean noir et son anorak rouge et noir.

Durant la nuit, une tempête tardive avait recouvert Somerval d'une douzaine de centimètres de neige, et le parc presque désert scintillait sous un soleil chaud et éclatant. On a marché autour du lac et nos bottes ont laissé les premières traces dans la neige fraîche.

Tout à coup, David s'est arrêté et s'est agenouillé à côté d'un buisson.

— Regarde comme la neige réfléchit la lumière, m'a-t-il dit.

Observer la neige qui fondait était presque comme regarder à travers un prisme. Je pouvais voir toutes les couleurs de l'arc-en-ciel dans une seule petite goutte d'eau.

Ensuite, David m'a amenée jusqu'à un mur de pierre.

— Des perce-neige, m'a-t-il dit en me montrant de petites fleurs blanches. Elles sont toujours les premières à sortir au printemps.

On a trouvé un banc au soleil, on en a débarrassé la neige et on s'est assis.

— Regarde, Kim ! Une patineuse !

David me montrait du doigt une souris qui trottinait péniblement sur l'étang gelé, en glissant et en dérapant. Quand elle est arrivée au milieu de l'étang, la mince couche de glace a cédé. J'ai retenu mon souffle tant que la petite créature n'a pas réussi à se sortir de l'eau et à rejoindre l'autre côté.

— Ouf ! ai-je dit. Si jamais je refais du patin, je m'en tiendrai strictement à la patinoire.

— J'adore ce parc, a dit David en riant. Il y a toujours quelque chose de nouveau à voir chaque fois que je viens.

— Tu viens souvent ?

— Je venais souvent, dans les premiers temps, quand j'ai appris que j'étais leucémique.

On est restés là un bon moment.

— David, qu'est-ce que tu veux faire maintenant que tu n'espères plus skier ?

— Je ne sais pas encore. Je me débrouille bien en informatique. Je gagne déjà un peu d'argent en aidant des débutants.

— Tu sais vraiment comment t'y prendre avec les gens. Tu ferais un très bon conseiller. Tu en sais déjà pratiquement autant qu'Andrée. Tu réussis dans tous les domaines. Ce n'est pas comme moi. Tout ce que je sais faire comme il faut, c'est patiner.

J'ai levé les yeux vers lui.

— Je déteste penser que je ne pourrai plus jamais patiner.

— Je parie que tu as d'autres talents, m'a-t-il dit avec assurance. Marie-Ange m'a dit que tu racontes de très belles histoires.

J'ai souri.

— J'ai une idée géniale, s'est-il exclamé. Tu devrais organiser une heure de conte pour les enfants du manoir, comme bénévole.

— Disons plutôt un « deux minutes », ai-je dit en riant.

— Il faudra que tu suives le cours de bénévolat d'Andrée, a-t-il ajouté, comme si la question était réglée. Ce n'est pas compliqué, et tu sais déjà comment ça fonctionne là-bas. Qu'est-ce que tu en dis ?

— Je vais y penser.

— Très bien. Tu vas faire monter notre petite Marie-Ange au septième ciel. Et, parlant d'anges...

Il s'est levé et s'est laissé tomber sur le dos dans la neige.

— Espèce de fou ! ai-je crié. Tu vas attraper ton...

J'allais utiliser une phrase de ma grand-mère : « Kim, tu vas attraper ton coup de mort. »

— Tu vas attraper un rhume, ai-je fini, plus bas.

David n'a rien remarqué. Il avait les jambes et

les bras étendus et les agitait dans la neige. Quand il s'est relevé, c'est vrai que l'empreinte avait la forme d'un ange.

— C'est un bon truc, ai-je dit avec un sourire malicieux. Fais-moi un diable, maintenant.

— Je vais t'en montrer, un diable, attends un peu.

David a ramassé une pleine poignée de neige et en a fait tranquillement une boule. Riant toujours, j'ai reculé un peu.

— David Richard, si tu fais ça…

La boule de neige est arrivée sur mon épaule.

— J'espère que tu sais que c'est une déclaration de guerre ! lui ai-je crié.

J'ai ramassé un tas de neige et je lui ai lancé. Son visage est devenu tout blanc, mais je pouvais encore deviner son sourire.

— Il va falloir que tu fasses beaucoup mieux que ça, a-t-il dit en allant se cacher derrière le banc.

Je suis allée vers le buisson le plus proche et j'ai préparé en vitesse une provision de boules de neige.

— Vas-tu rester caché derrière ce banc, lui ai-je crié, ou vas-tu sortir et te battre comme un homme ?

J'ai bondi et je me suis mise à le bombarder. Seulement la moitié des projectiles l'atteignait parce que je riais trop. Quand j'ai été à court de munitions, j'ai pris mes jambes à mon cou, et David est parti à mes trousses. Je courais en zigzaguant et en faisant des feintes, mais il m'a rattrapée. Il a passé un bras autour de ma taille et, de l'autre main, a ramassé une pleine poignée de neige.

— Arrête ! Arrête ! ai-je dit, épuisée d'avoir trop ri. Je me rends.

David a laissé tomber la neige et m'a enlacée. Tout à coup, je me suis aperçue que son visage touchait presque le mien. Quand il s'est penché pour m'embrasser, je me suis écartée.

— David, je... es-tu sûr que...

Il a compris tout de suite.

— Kim, il n'y a aucun danger à s'embrasser.

— Oui, je sais. Mais j'ai pensé que tu aurais peut-être peur.

— Viens par ici.

Et il m'a prise dans ses bras et m'a embrassée.

— Tes mains sont gelées, m'a-t-il fait remarquer un peu plus tard. Il y a un café de l'autre côté de la rue. On va aller boire un chocolat chaud.

J'aurais accepté un verre de thé glacé s'il m'en avait offert un, tellement la tête me tournait. David était le premier garçon que j'embrassais. Je n'aurais jamais pu rêver d'un moment aussi parfait.

Au café, on a choisi un compartiment confortable, et la serveuse nous a apporté deux grandes tasses fumantes de chocolat chaud.

— Euh, Kim, pourrais-tu me rendre un service, a bégayé David. Aline et moi, on prépare une fête pour les cinq ans de Marie-Ange et on espère que tout le monde participera au spectacle. Je vais me déguiser en clown, Aline va animer les jeux et jouer de la guitare, Roger va faire des tours de magie. Veux-tu t'inscrire ?

— D'accord, inscris-moi pour le ménage. Je suis bonne là-dedans.

— Voyons donc, Kim ! a dit David en riant. Marie-Ange adore tes histoires. Tu pourrais lui en raconter une ?

— Petit malin ! lui ai-je dit en enfonçant mon doigt dans ses côtes. Tu préparais ta question depuis longtemps, non ?

— C'est vrai, a-t-il dit d'un air embarrassé. C'est un coup monté. Mais tu acceptes quand même, hein ? S'il te plaît ?

J'ai examiné son beau visage. Il avait l'air fatigué. S'il pouvait consacrer autant d'énergie à un projet, je ne pouvais pas refuser.

— Mais oui, je vais le faire, ai-je soupiré. Et je suppose que je dois être reconnue officiellement comme bénévole au manoir pour pouvoir participer à l'animation de la fête, c'est ça ?

— Tu as tout compris.

Quand David est venu me reconduire jusqu'à ma porte, une heure plus tard, j'étais encore tout étourdie... et je nageais en plein bonheur.

— Merci, David. L'après-midi était super.

— Merci à toi, Kim. Je me suis beaucoup amusé, moi aussi.

— J'espère que tu ne t'es pas trop fatigué.

— Pour t'entendre rire, Kim, ça valait la peine.

Il s'est penché et m'a embrassée tendrement.

* * *

— La journée au parc semble t'avoir fait beaucoup de bien, a dit mon père au souper. Tu as les joues toutes rouges.

— Je me sens en pleine forme, ai-je déclaré en avalant ma deuxième portion de spaghetti. En fait, je me sens si bien que j'ai décidé de devenir bénévole au manoir.

Maman a fixé son regard sur moi.

— Kim, tu y étais comme patiente il n'y a pas une semaine.

— Beaucoup de patients en clinique externe sont aussi bénévoles, ai-je répliqué vivement. Je pense que j'en serais capable.

— Je n'en doute pas, ma chouette, mais tu dois ménager tes forces.

— David est leucémique, ai-je plaidé. Il étudie, il travaille en informatique et il a encore assez d'énergie pour faire du bénévolat.

Mon père s'est éclairci la voix :

— À propos de David, je ne suis pas sûr que c'est une bonne idée de le voir si souvent.

— Et pourquoi donc ? Il sait que j'ai le sida et ça ne le dérange pas, ai-je dit en rougissant au souvenir de nos baisers de l'après-midi. Il n'en parlera à personne, si c'est ça qui vous inquiète.

— Ce n'est pas ce que je voulais dire, a dit mon père, visiblement mal à l'aise. David a le cancer, Kim. Désolé d'être aussi carré, mais le fait est qu'il pourrait ne pas vivre très longtemps. Tu as déjà suffisamment de difficultés avec ta propre maladie sans t'engager dans une relation avec un garçon qui va peut-être mourir.

— Papa, David est en rémission, ai-je protesté. Beaucoup de jeunes survivent à la leucémie, aujourd'hui. Avec l'attitude positive qu'il a, il va peut-être vivre jusqu'à cent ans.

— Je pense que ça te fait beaucoup de bien d'avoir un ami, a dit ma mère. On ne veut pas que tu te fasses du mal, c'est tout.

— Du mal ? ai-je dit, incrédule. Pour la première fois depuis que je sais que j'ai attrapé le virus, je suis heureuse. Pour la première fois, je pense à ce que je peux faire, au lieu de penser à ce que je ne peux pas faire. Vous m'avez envoyée au Manoir de l'Espoir parce que vous disiez que j'étais renfermée dans ma coquille. Maintenant que je veux en sortir, vous changez d'idée. Ce n'est pas juste.

J'ai respiré profondément pour me calmer.

— Si le docteur Hardy me dit que c'est correct, je vais suivre le cours de bénévolat.

Je pouvais voir sur le visage de mes parents que j'allais gagner, mais ils n'ont pas abandonné facilement.

— Et tes études ? a demandé mon père. Quand vas-tu trouver le temps de faire tes devoirs ?

— Grâce aux cours particuliers du manoir, j'ai déjà pris de l'avance.

Ma mère a poussé un soupir résigné.

— Je dois avouer que je ne t'ai pas vue aussi en forme depuis des mois. J'imagine que c'est une bonne chose d'essayer le bénévolat, mais...

Elle a levé son index en signe d'avertissement.

— ... si jamais tu te fatigues trop, fini !

Je me suis vite levée de ma chaise pour aller les embrasser tous les deux.

— Merci ! Je serai bénévole les samedis et une fois par semaine, après mes cours. Et je ne me fatiguerai pas trop, promis.

CHAPITRE 9

Le mercredi après-midi, je me suis rendue directement de l'école au manoir. Comme David l'avait prédit, je n'ai pas eu de problèmes avec le cours de formation. J'étais impatiente de commencer mon premier jour de travail comme bénévole.

— Kim ! Mon amie !

C'était Marie-Ange qui se précipitait sur moi. Je l'ai attrapée et je l'ai serrée dans mes bras.

— Salut, petite fille de presque cinq ans. Je suis bien contente de te voir, aujourd'hui.

J'ai installé Marie-Ange dans le salon avec des crayons, du papier et la promesse de lui raconter une histoire plus tard. Je me dirigeais vers le bureau d'Andrée pour m'inscrire et recevoir ses directives quand j'ai entendu pleurer en passant devant une des salles de bains. L'espace d'un moment, je me suis demandé : « Est-ce que je devrais entrer ou me mêler de mes affaires ? » Quand j'ai ouvert la porte, j'ai été abasourdie de me retrouver devant Martine Cherrier, la fille aux béquilles qui avait voulu être gentille avec moi. Recroquevillée sur le sol, dans un coin, elle essayait d'étouffer ses sanglots, le visage enfoui dans ses genoux repliés.

Je me suis agenouillée à côté d'elle.

— Martine, qu'est-ce qui t'arrive ? C'est moi, Kim Robert, de l'école.

Martine a levé les yeux en ravalant un sanglot. Je lui ai tendu quelques mouchoirs de papier que j'avais pris dans mon sac.

Elle m'a remerciée et s'est mouchée, puis elle a pris une grande inspiration saccadée.

— Est-ce que je peux t'aider ?

— Ça va mieux maintenant, a-t-elle dit en hochant la tête. J'ai rendez-vous avec Benoît Sergerie. Je... Je ne me sentais pas tout à fait prête à le rencontrer.

Elle m'a regardée avec curiosité.

— Qu'est-ce que tu fais ici ?

— Je suis bénévole, lui ai-je répondu, sans aller plus loin. Veux-tu que je reste avec toi en attendant que tu sois prête à rencontrer Benoît ?

Martine a fait signe que oui.

— Alors, viens avec moi. On va trouver un endroit plus confortable que cette salle de bains. Le plancher de céramique est froid.

Je lui ai tendu la main pour l'aider à se relever. Elle n'avait pas ses béquilles, mais j'ai pu voir, dans le corridor, qu'elle boitait encore. J'ai trouvé une salle de réunion vide où on s'est assises.

— As-tu envie de parler ? lui ai-je demandé doucement.

Martine s'est remise à pleurer.

— Je viens de recevoir une mauvaise nouvelle, a-t-elle dit d'une voix entrecoupée. J'ai un cancer des os. Je pensais que tout allait s'arranger, mais j'ai appris…

Elle a respiré profondément.

— … j'ai appris qu'on allait peut-être me couper la jambe.

Je suis restée abasourdie. Qu'est-ce qu'il fallait lui dire ? Qu'est-ce qui aurait pu la réconforter ?

— Oh ! Martine, ça me fait tellement de peine !

C'est tout ce que j'ai trouvé à dire. Et quand j'ai mis mon bras autour de ses épaules, je me suis aperçue que je pleurais aussi.

— Tiens, un pour chacune, m'a-t-elle dit en me tendant un des deux derniers mouchoirs de papier, une fois ses larmes apaisées.

— Excuse-moi de pleurer. Je ne t'aide pas beaucoup.

— Dans un sens, tu m'as aidée, oui, a dit Martine en se mouchant. Je pense que je suis prête à rencontrer Benoît, maintenant.

Après avoir indiqué à Martine où se trouvait le bureau de Benoît, je me suis appuyée contre le mur, complètement exténuée. « Comme c'est drôle, ai-je pensé. Martine m'a tendu la main quand j'étais en difficulté et je l'ai repoussée. Et maintenant que c'est elle qui souffre, elle est capable de demander de l'aide. »

— Qu'est-ce qui ne va pas, Kim ?

— David ! ai-je dit en sursautant. Je ne t'ai pas entendu arriver.

— Je ne voulais pas te faire peur, a-t-il dit en cherchant mon regard. Dure journée ? Tu as l'air toute chavirée.

— Je viens de voir une fille de l'école, ai-je dit en hochant la tête. Martine Cherrier. Elle a reçu une mauvaise nouvelle.

J'ai baissé les yeux.

— La première fois qu'on s'est vues, je l'ai repoussée quand elle a essayé de me parler. J'en ai honte maintenant. Je n'avais aucune idée de ce qui lui arrivait. Mais je l'ai peut-être un peu aidée, aujourd'hui.

— Tu commences à comprendre, Kim, a-t-il dit en souriant. Écoute, je dois y aller. J'ai promis à Alex de l'initier au monde merveilleux de l'informatique. Mais je voulais te demander si tu viendrais voir l'équipe locale de danse sur glace avec moi, vendredi soir. Ils présentent un spectacle à la patinoire du centre commercial. Tu pourrais peut-être me donner une leçon de patinage, après.

— J'aimerais beaucoup ça, mais je ne sais pas si mes parents vont me laisser patiner.

— Ça ne fait rien, on va s'amuser quand même.

En retournant à la maison, ce soir-là, une phrase qu'Andrée avait dite à une réunion du groupe n'arrêtait pas de me trotter dans la tête : « Vous ne pouvez pas changer les gens ou les événements, mais vous pouvez changer votre façon d'y réagir. »

Depuis qu'on m'avait diagnostiquée séropositive, mes parents prenaient toutes les décisions —

ce que je devais faire, quand et comment — sans vraiment discuter avec moi, sans me demander ce que je voulais, moi. En fait, ma mère n'avait jamais voulu parler du sida. Maintenant que j'y pensais, je me rendais compte que ce comportement était là avant ma maladie. Mes parents ont continué à me traiter comme une enfant, même quand j'ai été capable de faire mes propres choix.

« C'est peut-être pour ça que j'ai toujours aimé patiner, ai-je pensé. Sur la glace, c'est moi qui décide. Personne ne peut me dire quoi faire ou ne pas faire. »

Et s'il y avait une chose à laquelle je tenais, maintenant, c'était d'aller patiner avec David. S'il fallait que j'affronte mes parents pour ça, je le ferais.

Après le souper, j'ai respiré à fond et j'ai plongé.

— Maman, papa, il faut qu'on se parle.

Maman m'a scrutée anxieusement.

— Est-ce que tu te sens bien ? m'a-t-elle demandé.

— Oui, maman. À mon dernier examen médical, le docteur Hardy m'a dit que tout allait bien, mais que j'avais besoin d'exercice. Pour commencer, je pourrais aider un peu plus pour le ménage.

— Je n'ai rien à redire à ça, a dit ma mère. Alors, de quoi voulais-tu parler ?

— De nous. De toi, de papa et de moi.

— Qu'est-ce que tu veux dire ? a demandé mon père.

— On parle tout le temps, a dit ma mère.

— Pas vraiment, ai-je dit en secouant la tête. Maman, tu n'oses même pas prononcer le mot sida. Mais, moi, j'ai besoin d'en parler. J'en ai besoin pour m'aider à prendre des décisions importantes. Je ne veux plus que vous me traitiez comme un bébé.

Quand j'ai vu le chagrin dans les yeux de ma mère, je me suis levée et j'ai passé mes bras autour de son cou.

— Je sais que ç'a été difficile pour vous deux. Vous avez fait de gros sacrifices pour m'aider. Et je vais vous demander de faire encore une chose pour moi.

Je me suis souvenue de ce que David avait dit au sujet de l'acceptation.

— Avant d'accepter le fait que j'ai le sida, j'étais incapable de trouver la force de vivre. Il faut que vous l'acceptiez, vous aussi. J'ai le sida. Je vais peut-être mourir un peu plus tôt que je ne le voudrais, mais d'ici là, je veux vivre et être heureuse et faire le plus de choses possible.

On avait tous la larme à l'œil quand j'ai fini. J'ai laissé échapper un gros soupir.

— Je n'avais pas l'intention de faire un discours, mais c'est tellement important pour moi.

— Qu'est-ce que tu voudrais qu'on change ? a demandé maman.

— Arrêtez de vouloir me protéger constamment. Au manoir, on m'a appris à ménager mes forces et à faire face au stress, à m'alimenter comme il faut et à me tenir en forme par de bons exercices. Je sais comment prendre soin de moi, maintenant.

— Je suppose que tu as raison, mais…

Sa voix s'est brisée.

— … on t'aime tellement, Kim. Je ne pourrais pas supporter que…

— On se sent tellement impuissants, Kim, a dit mon père, les yeux rivés sur ses mains.

— Je le sais, papa, ai-je dit en allant l'embrasser sur la joue. Et maintenant, s'il vous plaît, je vais débarrasser cette cuisine. Je vous prierais de libérer le plancher, tous les deux, ai-je ajouté en ramassant les assiettes.

— Oh ! j'allais oublier, ai-je dit, désinvolte, je rencontre David à la patinoire, vendredi soir ! Il y a un couple de danseurs qui donne un spectacle. Après, je vais voir si mon coup de patin est encore bon.

Maman a ouvert la bouche pour s'objecter, mais mon père a hoché la tête en lui prenant la main.

— Bonne idée, a-t-il dit.

Le vendredi soir, je ne tenais plus en place dans l'auto qui roulait vers le centre commercial.

— Je viens te chercher à quelle heure ? me demanda mon père.

— Vers dix heures.

Je l'ai embrassé avant de sortir.

— Merci, papa. Merci de comprendre à quel point c'est important pour moi.

— Tu as beaucoup changé, ces derniers mois, m'a-t-il dit. Je suis fier de toi, mon cœur.

J'ai traversé le centre au pas de course et j'ai retrouvé David à la patinoire. Il était beau, avec son col roulé noir et ses cheveux bruns qui brillaient sous les lumières. Il m'avait réservé un siège dans la première rangée.

— Les meilleures places, ai-je constaté. Tu dois être arrivé de bonne heure.

— J'avais quelques achats de dernière minute à faire pour la fête de Marie-Ange.

Il m'a aidée à enlever mon manteau.

— Tu es superbe. Le vert te va vraiment bien. Tu devrais toujours en porter.

— Oh ! c'est seulement un vieux costume d'exercice ! ai-je dit en essayant de cacher à quel point ce compliment me faisait plaisir.

Les danseurs sur glace étaient frère et sœur. Quand ils ont fait leur entrée, les applaudissements ont éclaté. La musique s'est élevée des haut-parleurs et ils se sont mis à exécuter, en parfaite harmonie, des pas rapides et compliqués. Je les ai observés attentivement. Leur style était complètement différent du mien. Je me suis concentrée sur la beauté des lignes, sur l'aisance de leur coup de patin et sur la grâce de leurs mouvements.

Même si j'appréciais beaucoup la représentation, je commençais à avoir hâte de me retrouver sur la glace.

Le duo a fini avec un muméro sur un air de jazz, qui leur a valu une ovation.

— Ils étaient fantastiques, hein ? ai-je dit à David pendant qu'on enfilait nos patins. J'ai toujours travaillé en solo, mais si je trouvais un partenaire, je pense que j'essaierais la danse sur glace.

— Qu'est-ce que tu penserais de moi comme partenaire ? m'a-t-il demandé en souriant.

Il s'est levé, mais ses pieds se sont aussitôt dérobés sous lui.

— D'accord, et toi ? lui ai-je répondu en l'aidant à se relever.

Il a avancé un pied et il est retombé.

— Il me semble que ce n'est pas exactement comme ça qu'il faut faire, a-t-il dit d'un air piteux. Ce qu'il me faudrait, c'est un troisième patin pour m'asseoir.

Durant les premiers tours de patinoire, David s'est accroché à la balustrade. Puis il a pris de l'assurance et l'a lâchée.

— Hé ! Je pense que je l'ai ! a-t-il crié en perdant aussitôt l'équilibre.

Il a basculé vers l'avant, puis vers l'arrière, en battant des bras, et il a fait une incroyable série de vrilles avant de retrouver son équilibre.

Des patineurs qui s'étaient arrêtés pour assister au spectacle riaient et applaudissaient. Moi, j'avais du mal à rester debout, tellement je riais.

— Ça ne se peut pas, tu le fais exprès, ai-je dit quand j'ai pu enfin parler. Sérieusement, tu sais patiner, c'est ça ?

— J'ai un bon équilibre parce que j'ai fait du ski, c'est tout, a-t-il expliqué avant de s'écrouler.

Il a levé les yeux vers moi et s'est mis à rire, de son beau rire contagieux.

— Bon, maintenant, finie la récréation, ai-je dit en faisant semblant de le gronder. Suis-moi et essaie de faire la même chose que moi.

Je lui ai donné quelques leçons de base, en lui demandant d'imiter mes mouvements. Il a appris à une vitesse étonnante.

Peu après, on patinait main dans la main. David n'arrêtait pas de raconter des blagues plus idiotes les unes que les autres. À part, peut-être, l'autre jour au parc, je n'avais jamais autant ri de ma vie. Au bout d'un certain temps, j'ai remarqué que David était pâle et essouflé. Je l'ai ramené jusqu'à la balustrade.

— On va se reposer un peu, ai-je proposé.

— Je passe mon tour, cette fois-ci, a-t-il dit. Vas-y, toi.

— Tu es sûr que ça ne te dérange pas ?

Il a hoché la tête en souriant.

— Je veux te voir patiner.

Une valse jouait quand je suis retournée sur la glace. Je me suis sentie un peu nerveuse au début, mais quand la musique m'a emportée, j'ai oublié que David me regardait. J'ai oublié les autres patineurs. Il n'y avait plus que la musique, le bruit de mes lames sur la glace et l'énergie.

J'ai fait une arabesque, puis un grand aigle que j'ai maintenu, courbée vers l'arrière, pour faire le tour de la patinoire. Ensuite, je me suis dirigée vers le centre de la glace pour finir avec une pirouette assise, et je me suis laissée tournoyer de plus en plus vite, jusqu'à ce que je n'aie plus conscience que du mouvement.

Quand j'ai ralenti pour m'arrêter, j'ai entendu des applaudissements. J'ai jeté un coup d'œil vers David et j'ai souri en faisant une révérence.

Je ne connaîtrais peut-être jamais une véritable ovation, mais rien ne pouvait me réjouir autant que celle-là.

CHAPITRE 10

Le lendemain matin, il fallait que je parle à Juliette. Même si c'était ma meilleure amie, je ne l'avais appelée que deux fois depuis notre déménagement, à cause de notre budget serré. Mais ce jour-là, je n'avais pas la patience de lui raconter ce qui m'était arrivé par écrit.

— Hé ! tu as l'air de bonne humeur ! a-t-elle remarqué quand elle a entendu ma voix.

— Je suis allée patiner avec David, hier. C'était super !

— C'était super, ou bien il était super ? s'est moquée Juliette.

— Les deux, ai-je répondu. Il faut que tu le rencontres, Juliette. Il est tellement…

— Super ?

— Oui, c'est ça.

— Je pensais que ta mère ne te laissait plus patiner.

— La semaine passée, j'ai eu une conférence au sommet avec mes parents. Je pense que ma mère commence à comprendre. Elle me laisse de plus en plus libre.

— Tant mieux, a dit Juliette.

Elle m'a donné des nouvelles de Clermont, sans oublier sa nouvelle flamme. Je lui ai parlé de la fête qu'on préparait pour Marie-Ange.

— Il faut que je te laisse. Je dois aller aider David, ai-je dit finalement.

— N'oublie pas d'embrasser ton beau David pour moi, m'a-t-elle recommandé.

— Pas question, ai-je répliqué. Les baisers que je donne sont ma propriété exclusive !

À six heures, ce soir-là, la salle de jeu du manoir était toute décorée pour la fête. Marie-Ange ressemblait à une poupée dans sa petite robe jaune à fanfreluches, même si elle portait la casquette rouge que David lui avait donnée.

Elle semblait pâle et sans énergie, et elle était restée étrangement calme durant tout le souper. Elle n'a même pas montré d'enthousiasme quand madame Bradette a apporté un énorme gâteau décoré comme un carrousel.

Sa mère a dû l'aider à souffler les cinq bougies.

— Qu'est-ce qu'elle a ? ai-je demandé tout bas à David. D'habitude, elle rit tout le temps et elle ne tient pas en place.

— Je ne sais pas. J'ai remarqué, moi aussi. Peut-être que ça lui fait trop d'émotions en même temps.

— Je me souviens que ça m'arrivait, quand j'étais petite, lui ai-je dit en tentant de nous rassurer tous les deux. J'étais malade chaque fois qu'on allait au cirque. Il faut dire que c'était peut-être à cause de la barbe à papa et des hot-dogs que mon père me laissait engloutir quand ma mère avait le dos tourné.

J'ai essayé de sourire, mais, pour une fois, David est resté sérieux.

— Ce n'était peut-être pas une si bonne idée d'organiser cette fête, a-t-il dit. Regarde Marie-Ange, ses cadeaux ne l'intéressent même pas.

Je m'en faisais pour Marie-Ange, mais encore plus pour David et Aline. Ils s'étaient donné tant de mal pour que cette soirée soit réussie.

Quand tous les enfants ont été rassasiés de gâteau et de crème glacée, David a soufflé dans une petite trompette en plastique. Il portait un costume de clown, avec le maquillage, et de grands souliers mous qui ressemblaient à des palmes de nageur.

— Attention, attention ! Si vous voulez bien me suivre par ici, s'il vous plaît.

Il a tourné les talons et a traversé la salle en bondissant et en faisant claquer chacun de ses pas. Alex le suivait en essayant de l'imiter.

Aline a commencé les jeux avec les enfants. Au lieu de se joindre à eux, Marie-Ange est allée s'asseoir sur les genoux de sa mère.

J'ai trouvé une place entre Rachel et Martine.

— Regarde le docteur Gravel et le docteur Ambroise, m'a dit Rachel en me donnant un petit coup de coude.

Mine de rien, je me suis retournée pour les

observer. Ils étaient assis ensemble et parlaient, leurs visages se touchant presque.

— On dirait que les rumeurs à propos de ces deux-là sont vraies, ai-je chuchoté.

— Je l'espère, parce qu'ils vont bien ensemble. Il a eu tellement de malheurs dans sa vie, pauvre lui, a dit Rachel en poussant un soupir théâtral. Sa femme est morte de leucémie à vingt-sept ans. Je crois que c'est pour ça qu'il a fondé le manoir. Il y a beaucoup d'enfants atteints de leucémie et d'autres formes de cancer qui viennent ici.

J'ai vu la peur sur le visage de Martine et je lui ai serré la main.

Une fois les jeux finis, David a donné trois coups de trompette pour attirer l'attention de tout le monde. Aline s'est avancée pour présenter les numéros.

— Nous allons d'abord accueillir le grand Fectolini qui vous éblouira par ses tours de magie extraordinaires, a-t-elle dit.

— Je n'arrive pas à croire que Roger fait des tours de magie, m'a chuchoté Rachel, la main devant la bouche. S'il essaie de scier quelqu'un en deux, on va se retrouver avec un sérieux problème de chirurgie.

— Rachel fait des blagues, ai-je expliqué à Martine sans pouvoir m'empêcher de rire. C'est parce que Roger est plutôt empoté.

Mais Roger a surpris tout le monde. D'abord, il a exécuté un tour de cartes sans en laisser tomber une seule. Puis il a coupé une corde en deux — sans se couper lui-même — et l'a rassemblée ensuite comme par magie. Évidemment, il a trébuché en descendant de la scène, ce qui a fait rire les enfants aux éclats.

Après lui, Alexandre Fugère a fait quelques tours avec un ballon de basket. Il a dribblé avec le ballon dans le dos, puis entre ses jambes, et il l'a fait tourner dans les airs au bout de son doigt.

— On m'a dit qu'il attend pour une greffe du rein, mais qu'il a un type de tissu très rare, nous a appris Rachel.

Elle semblait connaître des détails sur la vie de tout le monde. Je me suis demandé ce qu'elle pouvait bien savoir sur moi.

C'était au tour de David. Il a confectionné des animaux avec des ballons. Après, il s'est approché du docteur Hardy avec un seau supposément rempli d'eau, et lui a lancé son plein contenu de... confettis. Les enfants étaient morts de rire. Marie-Ange, elle, restait assise mollement dans les bras de sa mère.

Celle-ci a fait signe à David d'approcher.

— Je ne veux pas gâcher le plaisir des autres enfants, a-t-elle dit, mais Marie-Ange a besoin de se reposer. Je vais l'emmener à sa chambre.

Peu après le départ de Marie-Ange, la fête a tourné court.

— C'est dommage que tu n'aies pas pu conter ton histoire, m'a dit David en venant vers moi.

— Ce n'est pas grave. Je la garde pour une autre fois, ai-je dit en essayant de paraître gaie.

Bon, puisque je fais partie du comité d'entretien, je ferais mieux de retrousser mes manches.

Je ramassais les dernières assiettes de carton quand la mère de Marie-Ange est arrivée.

— Excuse-moi de te déranger, Kim, mais Marie-Ange ne s'endormira pas avant que tu lui racontes une histoire.

— Pas de problème, ai-je répondu. Je monte tout de suite.

Marie-Ange s'est assise dans son lit quand j'ai franchi la porte de sa chambre.

— J'avais peur que tu ne viennes pas.

Je l'ai embrassée et serrée dans mes bras. J'ai remarqué que son visage était plus chaud que d'habitude.

— Est-ce que tu crois que j'oublierais de venir te raconter une histoire ?

J'ai approché une chaise du lit et j'ai pris un livre de contes de fées que Marie-Ange avait reçu pour son anniversaire.

— Veux-tu que je te lise une de ces histoires-là ?

Marie-Ange a hoché la tête.

— Je veux Bibi Labrouette.

Elle était toute frêle et menue, appuyée contre son oreiller. Je lui avais raconté tellement d'histoires que j'étais surprise qu'elle se souvienne de celle-là.

« Il était une fois une petite remorque qui s'appelait Bibi Labrouette. Elle était toute triste parce qu'elle devait déménager.

— Je ne veux pas m'en aller loin de mes amis

et de ma famille, disait-elle à son copain Grégoire Lavadrouille. »

Marie-Ange a souri et a fermé les yeux.

— C'est celle-là.

J'ai continué à voix basse, le plus doucement possible. J'ai arrêté avant la fin, sûre que Marie-Ange s'était endormie.

— Continue, a-t-elle dit d'une voix lente. Je veux entendre la fin.

« Quand Bibi est arrivée à sa nouvelle maison, elle a regardé autour d'elle. Grégoire avait raison. Il faisait chaud et on sentait le parfum des fleurs. " Peut-être que cet endroit ne sera pas si mal, après tout ", a-t-elle pensé.

Quand il a commencé à faire noir, Grégoire lui a dit :

— Dors bien, petit marsouin. Pas de puces, pas de punaises.

— Bo-o-nne nuit, lui a répondu Bibi, avec un sourire ensommeillé.

Elle s'est couchée en boule, bien au chaud et rassurée.

— N'aie pas peur, Bibi, lui a dit Grégoire. Je vais laisser un de mes feux arrière allumé toute la nuit pour toi.

— Pas nécessaire, Grégoire, a dit Bibi, je n'en ai plus besoin maintenant. »

Marie-Ange a ouvert les yeux.

— Bibi aime sa nouvelle maison, hein ?

J'ai fait signe que oui.

— Et elle n'est plus triste de s'en aller loin de ses amis et de tout le monde, c'est ça ?

Tout à coup, un frisson m'a parcouru le dos. Je me suis souvenue de ce que Marie-Ange m'avait dit au sujet de la mort et qu'elle s'ennuierait de sa maman et de ses amis. Des larmes coulaient sur mes joues et ma gorge était tellement serrée que j'avais du mal à parler.

— Bibi va toujours se souvenir de ses anciens amis et elle va toujours les aimer. Mais, maintenant… maintenant, elle va s'en faire de nouveaux.

Je me suis penchée pour l'embrasser sur le front. Elle m'a touché la joue.

— Pourquoi tu pleures ?

— Oh ! c'est juste que je pensais à mes anciens amis ! ai-je répondu en m'essuyant les yeux. C'est correct de pleurer de temps en temps.

J'ai tiré les couvertures.

— C'est le temps de dormir, maintenant. Mais avant, je voudrais te donner un petit cadeau.

J'ai tendu le bras pour prendre ma veste et j'ai retiré de la poche une veilleuse en forme de hibou.

— Mon papa me l'a donnée quand j'étais petite. Il m'a dit que le vieux hibou sage ne s'endormirait pas et qu'il veillerait sur moi toute la nuit. Je voudrais te le donner.

J'ai cherché une prise électrique pour brancher la lampe.

— C'est correct, m'a dit Marie-Ange. Bibi et moi, on n'a plus besoin de veilleuse.

CHAPITRE 11

Je n'ai pas arrêté de penser à Marie-Ange dans les jours qui ont suivi. Dès mon arrivée au manoir, le mercredi, je me suis mise à sa recherche. Comme je ne la trouvais ni en bas ni dehors, je suis montée à sa chambre, inquiète.

Elle était endormie. En sortant de la chambre sur la pointe des pieds, je me suis retrouvée face à face avec madame Ayotte.

— Marie-Ange ne fait jamais d'aussi longs sommes, ai-je fait remarquer. Est-ce qu'elle va bien ?

— On dirait qu'elle a attrapé quelque chose, a dit madame Ayotte. C'est peut-être juste une grippe, mais on la garde au lit.

Elle a jeté un coup d'œil à sa montre.

— Euh, je devrais… euh, il faudrait que j'aille aider Alex pour sa dialyse, a-t-elle dit en filant d'un air distrait.

J'ai passé la plus grande partie de l'après-midi à raconter des histoires aux plus jeunes. Au souper, Aline est allée s'asseoir avec eux à la petite table. Je me suis assise entre Rachel et Arthur.

— Salut, Rachel. Quoi de neuf ?

— Rien, a-t-elle répondu en éloignant sa chaise.

« Qu'est-ce qui se passe ici ? me suis-je demandé. Est-ce que c'est une mauvaise journée pour tout le monde ? » J'ai essayé plusieurs sujets de conversation, mais Rachel ne répondait pas, à part quelques « bof », « euh », et « hum ». Quelque chose la contrariait, c'était évident. Finalement, j'ai laissé tomber et lui ai simplement demandé de me passer le pain.

Elle m'a ignorée.

— Rachel, je t'ai demandé de me passer le pain.

Rachel a pris la corbeille, l'a laissée tomber à côté de mon assiette et a quitté la table sans un mot.

Je me suis tournée vers Arthur.

— Est-ce que tu sais ce qu'elle a ?

— Elle est de mauvaise humeur, a-t-il répondu en haussant les épaules, ce n'est pas nouveau.

— Je suis sûre qu'il y a autre chose, ai-je dit avant de suivre Rachel hors de la salle.

Je l'ai trouvée assise sur son lit, en train de feuilleter un magazine.

— Rachel ? Est-ce que je peux entrer ? ai-je demandé sur le seuil de la porte.

— Je suis occupée, a-t-elle marmonné.

— Ça n'a pas l'air d'aller. Est-ce que je peux faire quelque chose ?

— Ouais, tu peux me laisser tranquille, a-t-elle rétorqué d'une voix dure.

Je suis entrée dans la chambre.

— Est-ce que j'ai fait quelque chose qui t'a

déplu ? Si c'est le cas, je m'en excuse, lui ai-je dit en lui tendant la main.

Elle s'est raidie et a eu un brusque mouvement de recul.

— Ne me touche pas !

Le « regard », c'était ça ! « Elle le sait ! Rachel le sait ! » J'ai laissé tomber mon bras, prise d'une soudaine lassitude. « Tout va recommencer. Toute la douleur, tout le chagrin, tout va recommencer, comme à Clermont. »

Je me suis retournée pour quitter la chambre, mais, tout à coup, ma douleur s'est transformée en colère. « Non ! ai-je presque hurlé. Pas cette fois. Cette fois, je ne vais pas aller me cacher en courant. » J'ai pivoté sur moi-même.

— D'accord, Rachel, je n'approcherai pas, ai-je dit en maîtrisant le niveau de ma voix. Mais tu vas quand même m'écouter.

— Je ne suis pas obligée de t'écouter. C'est ma chambre et je veux que tu sortes.

— Pas avant d'avoir entendu ce que j'ai à te dire.

J'ai fermé la porte.

— Comment as-tu su que j'ai le sida ?

— Je ne sais pas ce que tu veux dire.

— Voyons, Rachel. Là où j'habitais avant, un tas de gens agissaient exactement comme toi. Ils avaient peur de moi, peur de me toucher. Comment as-tu fait pour le savoir ? Qui te l'a dit ?

— Personne, j'ai trouvé ça toute seule, m'a-t-elle dit avec défiance. Tu ne parlais jamais de ta maladie, mais tu n'étais pas au manoir pour rien. Quand tu as eu ta pneumonie, je me suis demandé pourquoi il te fallait une intraveineuse. J'ai posé la question à une infirmière, et elle m'a dit que c'était pour un type particulier de pneumonie. J'ai finalement mis la main sur une encyclopédie médicale, lundi dernier, et j'ai vérifié.

— Une vraie petite Sherlock Holmes, hein ? ai-je dit amèrement.

J'ai voulu m'asseoir sur la commode de Rachel.

— Non ! Je t'interdis de toucher à tout ce qui m'appartient, a-t-elle crié.

— Ne sois pas idiote, Rachel. On ne peut pas attraper le sida comme ça. Le virus du sida ne peut pas survivre dans l'air. Il faudrait que tu aies un contact direct avec mon sang pour l'attraper.

— Tu pourrais te couper ou saigner du nez.

J'ai secoué la tête avec impatience.

— Il faudrait que mon sang rentre dans ton sang, Rachel. C'est comme ça que je l'ai attrapé, par une transfusion. Écoute, j'ai un tas d'articles là-dessus que tu pourrais lire. Il ne s'attrape pas facilement, comme d'autres virus. Pas sur un siège de toilette, ni dans une piscine, ni dans une fontaine, ni dans quelque chose comme ça. Et tu ne peux sûrement pas l'attraper en me touchant. Je te le dit, Rachel, tu n'as pas de raison d'avoir peur de moi.

— Dans ce cas, explique-moi donc pourquoi tu n'en as parlé à personne.

J'ai poussé un soupir.

— Parce qu'il y a trop de gens qui réagissent

comme toi. Là où j'habitais, des élèves ont défoncé mon casier. Ils crachaient sur moi et me traitaient de noms horribles… ai-je dit en frémissant.

Rachel gardait les yeux sur son magazine. J'ai fait une dernière tentative.

— Je te dis la vérité sur le sida, Rachel. Si tu ne me crois pas, demande au docteur Hardy, renseigne-toi.

Pas de réponse.

— C'est dommage que tu le prennes comme ça, ai-je dit en me retournant pour partir, parce que je déteste perdre des amis. Mais c'est ton problème, pas le mien.

J'ai manqué les cours, la semaine suivante. Ce que j'avais pris pour un simple mal de gorge était en fait le muguet, une infection des muqueuses provoquée par un champignon. C'était très douloureux, mais je n'étais pas clouée au lit. Il n'y avait donc aucune raison pour que je prenne du retard dans mes travaux scolaires, comme ma mère me l'a fait remarquer.

Par chance, David s'arrêtait tous les jours pour laisser mes devoirs en passant. Mais le vendredi, il n'était pas venu, et personne ne répondait chez lui. Je savais que c'était ridicule, mais je ne pouvais pas m'empêcher de penser qu'il lui était arrivé quelque chose.

Le samedi après-midi, mes inquiétudes ne m'avaient pas quittée. Ma mère travaillait tard, ce soir-là, et mon père visitait un client.

J'ai décidé d'essayer d'écrire une histoire pour l'heure du conte. Je me suis couchée en boule sur le lit, avec un crayon et un bloc de papier.

— Demain, c'est le grand jour, dit l'entraîneur Cornichon.

Il remonte ses culottes, tire ses chaussettes rayées et souffle dans son sifflet mauve.

— Bon, les gars…

J'ai sursauté en entendant frapper à la porte. C'était David.

— Salut ! Je pensais te…

Ma voix s'est éteinte quand j'ai vu son visage. Il était pâle et ses yeux étaient rouges et gonflés. Mon estomac s'est contracté.

— Qu'est-ce qui se passe, David ?

— J'ai une mauvaise nouvelle.

Il m'a fait asseoir avec lui sur le divan.

Mon cœur s'est mis à battre plus vite.

— Parle, ai-je murmuré.

— C'est Marie-Ange, a-t-il prononcé d'une voix cassée en prenant ma main. Elle est morte ce matin.

— Mais non, ai-je dit en le regardant fixement. Ça ne se peut pas. Elle n'avait qu'une grippe.

— Kim, a-t-il dit en secouant la tête, Marie-Ange a été transférée à l'hôpital la fin de semaine dernière. Il semble que la leucémie était en évolution depuis plus d'un mois.

— La fin de semaine dernière ? Un mois ? Personne ne m'a rien dit.

— Sa mère croyait que c'était mieux comme ça. Je ne savais pas qu'elle n'était plus en rémission, mais je m'en doutais. Elle a dû attraper une pneumonie et elle n'a pas pu la combattre.

Un terrible tremblement m'a secouée des pieds à la tête.

— Je suis désolée, Kim, m'a dit David en se rapprochant pour me prendre dans ses bras.

Mais je me suis levée d'un bond, tremblante de colère.

— Pourquoi ? À quoi bon ? ai-je crié. À quoi bon aider les gens si c'est pour qu'ils meurent ? À quoi bon avoir préparé une fête ? Être bénévole ? Écrire des histoires stupides ?

J'avais toujours le crayon dans la main. Je l'ai lancé à l'autre bout de la pièce.

— Qu'est-ce que ça change, de vouloir du bien à quelqu'un ? Vous parlez tous d'espoir. L'espoir ! Quelle farce cruelle. À quoi bon ?

— Kim, je sais ce que tu ressens. Moi aussi, j'aimais Marie-Ange. C'est correct de te sentir…

— Arrête ! ai-je crié en me mettant les mains sur les oreilles. Je ne veux plus entendre ces foutaises du manoir. C'est juste des faux espoirs.

Des larmes ont roulé sur mes joues.

— Va-t'en. Je veux juste être toute seule.

— Je suis désolé, Kim, a-t-il dit doucement. Marie-Ange est morte, mais ça ne change rien au fait que tu l'as aidée. Et qu'elle t'aimait.

Je lui ai tourné le dos et j'ai entendu le déclic de la porte qui se refermait sur lui. Je me suis jetée sur le divan, secouée par les sanglots.

« Oh ! Marie-Ange, je t'aimais, moi aussi ! Et je n'ai même pas su te dire adieu. »

CHAPITRE 12

J'ai réussi, au cours de l'heure suivante, à me mettre au lit. En boule, face au mur, j'ai essayé de faire le vide dans ma tête, de chasser de mon esprit toute pensée de Marie-Ange.

À un moment donné, ma mère est entrée en coup de vent dans la chambre.

— Kim, a-t-elle dit, essoufflée. Est-ce que ça va bien ?

— Je pensais que tu travaillais, ce soir, lui ai-je dit d'un ton las, sans la regarder.

— David m'a téléphoné. Il m'a dit que votre petite amie Marie-Ange est décédée. Il pensait que tu aurais peut-être besoin de compagnie.

Elle s'est assise sur le bord du lit et m'a caressé les cheveux.

— Oh ! ma chouette, j'ai tellement de peine pour toi !

— David devrait s'occuper de ses affaires, ai-je dit en me tournant sur le ventre.

— Raconte-moi ce qui est arrivé.

— Je ne veux pas en parler.

— Kim, mon cœur, tu as fait tellement de

progrès. Ne ferme pas la porte, encore une fois. Il y a à peine quelques semaines, tu nous disais, à ton père et à moi, que c'était important de discuter.

— Je me trompais, d'accord ? S'il te plaît, laisse-moi tranquille.

Elle est restée encore une minute, puis elle s'est levée lentement.

— Si tu veux me parler, je serai dans la cuisine.

Je n'avais pas envie de parler. Pas à mes parents. Ni à David qui avait téléphoné souvent. Ni à Andrée, ni à personne du manoir.

Le lundi, j'étais seule à la maison quand le téléphone a sonné. J'ai entendu la voix de David dans le répondeur.

— Kim, je sais que tu ne veux pas me parler, mais j'ai pensé que...

Je l'ai entendu prendre une grande inspiration.

— L'enterrement de Marie-Ange a lieu demain, à trois heures et demie.

J'ai senti une violente douleur dans la poitrine.

— La mère de Marie-Ange a demandé qu'on n'envoie pas de fleurs, mais qu'on fasse plutôt des dons à la Fondation du cancer. Au manoir, tout le monde y va. Si tu veux venir, on se rencontre à trois heures.

Il a hésité, comme s'il espérait que je l'entende et que je décroche le téléphone.

— Bon, eh bien... j'espère que tu vas venir.

Je ne suis pas allée à l'enterrement. Je ne suis pas allée non plus au manoir, le mercredi, pour ma journée de bénévolat, même si j'avais moins mal à la gorge. Je suis retournée à l'école parce qu'il le fallait, mais j'ai évité Martine et David. J'ai évité aussi d'écrire ou de téléphoner à Juliette. Il aurait fallu que je lui raconte ce qui était arrivé à Marie-Ange, et c'était au-dessus de mes forces.

C'est elle qui m'a appelée.

— Kim, explique-moi pourquoi tu ne m'as pas rappelée, pourquoi tu n'as pas répondu à mes lettres. Je n'ai pas eu de tes nouvelles depuis deux semaines. Est-ce que ça va ?

— Ouais, ai-je dit d'une voix sans timbre.

— On ne dirait pas. Écoute, je ne peux pas te parler longtemps, mais je voulais t'annoncer la bonne nouvelle. Ta mère a appelé la mienne pour m'inviter à venir chez vous, la semaine prochaine. Super, hein ? J'arrive, enfin !

— Juliette, je...

— J'y vais en autobus. On a déjà acheté les billets. Prends un crayon, je vais te donner l'heure d'arrivée.

Consciencieusement, j'ai noté les informations.

— Euh... bon. Ma mère me regarde d'un drôle d'air, a dit Juliette. Je fais mieux de te laisser. J'ai hâte de te voir.

J'ai raccroché. « Comment est-ce que je vais m'en sortir ? » Je ne refusais pas de voir Juliette, mais elle voudrait tout savoir à propos de David et de Marie-Ange, du manoir et de tout ce que je lui avais écrit et dit depuis que nous étions déménagés à Somerval. L'idée d'avoir à tout lui expliquer me mettait l'estomac à l'envers.

Un malaise planait au souper, ce soir-là. Je n'avais rien à dire à mes parents et je n'avais pas le goût de manger. Évidemment, ma mère l'a remarqué.

— Tu n'arrêtes pas de jouer avec ton pain de viande au lieu de manger. Pourtant, tu as toujours aimé ça, Kim. As-tu encore mal à la gorge ?

— Ma gorge est guérie.

— Alors, qu'est-ce qui ne va pas ?

Ma colère a remonté à la surface.

— Je ne peux pas croire que tu as invité Juliette, dans mon dos, pour la fin de semaine prochaine. Tu aurais pu m'en parler avant.

— Oh ! Kim, je voulais juste... Je sais que tu as besoin d'une amie en ce moment. Vous avez tellement parlé de vous voir toutes les deux, que j'ai pensé que le moment était bien choisi.

— Il ne l'est pas, ai-je dit en baissant les yeux. C'est un très mauvais moment.

— Kim, tu ne peux pas continuer comme ça, a dit mon père. Tu vas te rendre malade.

— Malade ! ai-je crié. Au cas où vous l'auriez oublié, j'ai le sida.

— Je ne pense pas que quelqu'un, ici, pourrait oublier ça, a dit doucement ma mère, les yeux pleins de larmes.

— Excuse-moi, maman, ai-je dit en posant ma

fourchette. Maintenant, Est-ce que je peux me lever ?

J'étais presque debout quand ma mère m'a arrêtée.

— Non, tu ne peux pas, a-t-elle dit. Tu as dit qu'on ne voulait jamais discuter. Eh bien, on t'a écoutée quand tu as voulu parler. Maintenant, c'est à notre tour.

Elle a lancé un coup d'œil vers mon père qui l'a encouragée d'un signe de tête.

Je me suis laissée retomber sur ma chaise.

— Tu refuses d'admettre la mort de Marie-Ange, a-t-elle dit simplement. Je sais que ça te fait très mal, mais il faut que tu en parles, que tu pleures et que tu essaies de passer à travers.

— Pense aux bons moments que vous avez partagés, Marie-Ange et toi, a insisté mon père. Avec le temps, c'est de ça que tu vas te souvenir, pas de sa mort.

— Justement, papa, ai-je dit en essayant de contenir le tremblement dans ma voix. Je n'ai pas beaucoup de temps.

— Raison de plus pour ne pas le perdre en restant cachée dans ta chambre, a dit ma mère. Une visite de Juliette, c'est exactement ce qu'il te faut, Kim.

— Tu sais combien vous vous amusez ensemble, a ajouté mon père.

« Ça, c'était avant, ai-je pensé. Ce n'est plus pareil, maintenant. »

Le lendemain après-midi, je suis tombée face à face avec David au détour d'un corridor. On est restés silencieux pendant un bon moment. Il était plus maigre qu'à notre dernière rencontre, mais son sourire n'avait pas changé et mon cœur a chaviré.

— Salut, Kim, a-t-il dit. La vie est belle ?

— Pas pire, j'imagine.

J'allais partir, mais il m'a prise par le bras.

— Est-ce qu'on peut parler ? m'a-t-il demandé avec un sourire. Ou peut-être aller patiner ? Skier ? Faire du deltaplane ?

— Je suis pas mal occupée, lui ai-je répondu en regardant le plancher.

— J'ai vraiment besoin de te parler, Kim.

— Excuse-moi, il faut que je parte.

David n'a pas essayé de cacher la douleur dans ses yeux.

— D'accord, si c'est ça que tu veux.

Il s'est retourné pour s'en aller.

J'aurais voulu lui dire « Attends ! Ce n'est pas ça que je veux. Reviens, David ! », mais les mots étaient coincés dans ma gorge. David était leucémique… comme Marie-Ange. C'était trop effrayant. Trop douloureux. Je ne pourrais pas supporter de le perdre, lui aussi.

Juliette et moi, on a passé des heures, assises sur les lits jumeaux de ma chambre, à parler du bon vieux temps. On a ri en pensant aux fois où on avait couché l'une chez l'autre, à nos quatorze recettes de gâteau au chocolat, à notre désastreuse tentative pour faire partie des meneuses de claque, à la varicelle que nous avons eue ensemble. C'était bien plus facile de parler du passé que de penser au présent. Ou à l'avenir.

Vers minuit, ma mère a frappé doucement à la porte.

— Si vous ne vous couchez pas, les filles, vous allez être fatiguées, demain.

On a regardé vers la porte d'un air coupable.

— Elle a raison, a dit Juliette. On a beaucoup de choses à faire demain. J'ai hâte de rencontrer David.

Celle-là, je l'attendais. J'ai pris une grande inspiration.

— En fait, David et moi, on ne se voit pas beaucoup, ces jours-ci.

— Ah ! non, pourquoi ? Ça semblait aller si bien.

— Oh ! je ne sais pas ! J'ai un peu laissé tomber le Manoir de l'Espoir et tout ça, ai-je dit le plus naturellement possible.

— Pourquoi ? Je pensais que tu aimais ça, là-bas.

— Ouais, j'ai aimé ça un bout de temps. Mais je me suis fatiguée d'être toujours avec des enfants malades. C'est trop déprimant.

— Mais tu as dit…

— Hé, tu ne sais pas quoi ? Je viens de me souvenir de la recette de gâteau numéro quinze.

— D'abord, je veux te montrer le lac Massicotte et le parc. Après, on pourra aller flâner au centre commercial, ai-je proposé à Juliette au déjeuner, le lendemain matin.

— Parfait. C'est là qu'il y a une patinoire ? On pourrait aller patiner.

Le souvenir aigre-doux de David et de la soirée de patinage m'est revenu.

— Euh, d'accord. Si c'est ça qui te tente, ai-je dit. Je n'y suis allée qu'une seule fois.

On s'est rendues au parc en autobus. C'était une belle journée ensoleillée, mais il restait encore un peu de neige par endroits. On a marché lentement, en échangeant nos impressions à propos de nos écoles.

Je me suis arrêtée brusquement quand on est arrivées au banc où David et moi, on s'était assis.

— À quoi penses-tu, a demandé Juliette. Tu souris.

— À rien.

J'ai regardé par terre. Il ne restait plus qu'une plaque de terre dénudée à l'endroit où David avait fait l'ange. Mais en fermant les yeux, je pouvais voir son empreinte dans la neige. J'ai frissonné.

— Partons d'ici, ai-je dit rapidement. Direction : le centre commercial.

Juliette m'a regardée d'un air interrogateur, mais elle n'a rien dit. Dans l'autobus elle m'a parlé du petit ami de sa sœur. Il me semble, du moins, que c'est de ça qu'elle m'a parlé. Je n'arrivais pas à me concentrer.

— Kim ! m'a dit Juliette en me donnant un

petit coup sur l'épaule. As-tu entendu un seul mot de ce que je viens de dire ?

— Hum !... Un ou deux, ai-je admis avec un sourire embarrassé.

— Dans ce cas, je vais te le demander encore une fois : À quoi penses-tu ?

— À personne.

— Ah ! ah ! je te prends en flagrant délit ! Je ne t'ai pas demandé à qui tu pensais.

Elle m'a tirée pour m'obliger à la regarder.

— C'est David, pas vrai ?

— Un peu.

— Dis-moi ce qui s'est passé, Kim. Tu m'as toujours tout dit. Pourquoi est-ce que tu ne le vois plus ?

J'ai regardé par la fenêtre, puis je me suis tournée vers Juliette.

— Quand j'ai commencé à voir David, mon père m'a prévenue du danger de tomber amoureuse de quelqu'un qui a le cancer. Je l'ai trouvé stupide. Après tout, je ne suis pas exactement... bien, si tu vois ce que je veux dire. Mais je m'aperçois maintenant qu'il avait raison. C'est trop difficile d'aimer quelqu'un qui pourrait mourir. J'essaie de ne pas avoir peur de la mort, mais j'en ai peur quand même. J'ai décidé que ce serait plus facile si j'essayais de ne plus penser à lui.

Juliette a étudié mon visage un certain temps.

— Je sais ce que tu ressens, a-t-elle dit doucement.

— Comment le pourrais-tu ?

— Penses-y, a continué Juliette. Quand j'ai appris que tu étais séropositive, moi non plus, je ne voulais plus te voir.

J'ai reçu un coup.

— Mais tu as continué ! Tu es la seule qui ne m'a pas abandonnée.

— Tu es trop importante pour moi, a-t-elle dit avec simplicité. Tu es ma meilleure amie. J'ai décidé que j'aimais mieux te prendre telle que tu es, pour le temps que ça durera, plutôt que de ne pas t'avoir du tout.

— J'en suis tellement contente, ai-je dit en essuyant mes larmes.

Tout à coup, je me suis souvenue de la question que David m'avait posée : Qu'est-ce que je ferais si le docteur Hardy m'annonçait qu'il ne me restait plus qu'une semaine à vivre ? Je lui avais répondu que j'irais patiner. Je me rendais compte, maintenant, qu'il y avait des choses bien plus importantes à faire, comme passer du temps en compagnie de ceux que j'aime.

Peut-être qu'il ne me restait pas beaucoup de temps, et à David non plus. C'était encore plus important de ne pas perdre une seule de ces précieuses minutes.

J'ai passé mon bras autour du cou de Juliette et je l'ai serrée contre moi.

— Tu es une amie sensationnelle.

CHAPITRE 13

J'ai téléphoné à David le dimanche soir, tout de suite après le départ de Juliette. Sa mère m'a répondu et m'a dit qu'il dormait.

— Il... Est-ce qu'il va bien ? ai-je demandé, même si j'avais presque peur d'entendre la réponse.

— Il t'appellera plus tard. Je sais qu'il veut te voir.

Le lendemain, David n'était pas à l'école, mais le téléphone a sonné quelques minutes après mon retour à la maison.

— Salut, Kim. Désolé d'avoir manqué ton appel, hier soir.

Sa voix était faible.

— Salut, ai-je dit, essoufflée. Je suis bien contente que tu rappelles. Tu n'est pas venu à l'école, aujourd'hui. Est-ce que ça va bien ?

— Ouais, ça va. Et toi ?

— David, je m'excuse d'avoir agi comme je l'ai fait. Je me demandais si tu voulais encore qu'on se parle ? À moins qu'on aille faire du deltaplane, ai-je ajouté en riant.

— Sincèrement, je ne suis pas tout à fait en

forme pour le deltaplane, ces temps-ci, mais j'aimerais bien te voir. Écoute, a-t-il continué après une pause, ma mère a loué un tas de vieux films. Je me disais qu'on pourrait peut-être faire notre propre festival de films, demain après-midi. Tu sais, manger du maïs soufflé et boire du cola, se tenir la main dans le noir.

— Parfait. J'irai chez toi tout de suite après l'école. Et aussi, David... je me suis ennuyée de toi.

Le lendemain, j'ai fait très attention à mes cheveux et à mon maquillage, et j'ai mis un chandail vert pâle qui faisait ressortir la couleur de mes yeux.

J'ai parcouru à une vitesse record le kilomètre qui sépare l'école de sa maison. Quand madame Richard a ouvert la porte, j'ai vu tout de suite d'où venait le beau sourire de David.

— Entre, Kim, a-t-elle dit en prenant mon manteau. David est dans le salon. J'espère que tu n'auras pas trop chaud, j'ai monté le chauffage pour lui.

Elle m'a conduite vers l'arrière de la maison.

— Kim est arrivée, a-t-elle annoncé.

David était enveloppé dans une courtepointe, assis contre le bras du divan.

— Salut ! J'espère que ce cocon ne te dérange pas.

Il a tapoté la couverture.

— Encore un peu de temps et je me transformerai en papillon.

— Je dois sortir, est venue nous dire madame Richard. Avez-vous besoin de quelque chose avant que je parte ?

— On a tout ce qu'il faut, maman, a répondu David en ajoutant avec un grand sourire : Kim sera mon esclave.

Après le départ de sa mère, David m'a regardée avec admiration.

— Tu es superbe, Kim. Le vert te va vraiment bien.

Je me suis assise près de ses pieds, en essayant de cacher le choc que j'avais eu en le voyant. Il était blême et décharné, et il avait de grands cernes noirs autour des yeux.

— J'ai un peu l'air d'un raton laveur, tu ne trouves pas ?

— Qu'est-ce qui ne va pas, David ?

J'ai senti la peur monter en moi comme une vague.

Il a soupiré.

— C'est ça que je voulais te dire. La leucémie est en évolution. J'ai commencé à suivre une chimiothérapie.

Il a prononcé ces paroles d'un ton neutre.

— Non, David !

Une peur paralysante s'est emparée de moi durant un moment, puis elle s'est dissipée. Je n'allais pas rentrer dans ma coquille encore une fois. J'ai pris une grande inspiration saccadée. Durant la visite de Juliette, j'avais trouvé ma propre définition du courage : se retourner et faire face à sa peur, au moment où l'on a le plus envie de s'enfuir et de se cacher. David a pris ma main.

— Ne t'en fais pas comme ça, a-t-il dit. J'ai déjà lutté contre elle. Je peux le faire encore.

Je suis restée silencieuse, essayant de remettre de l'ordre dans mes pensées.

— Ça me fait de la peine que la chimio te rende si malade, ai-je fini par dire. Tu es sûr que tu veux que je reste ?

— Tu veux rire ? Il m'a presque fallu acheter le docteur Gendron pour pouvoir rester à la maison un jour de plus. Demain, je rentre au manoir pour un bout de temps.

Il s'est penché pour ramasser un énorme bol de maïs soufflé qu'il a installé entre nous deux. Il a mis le magnétoscope en marche à l'aide de la télécommande.

Même si j'avais déjà vu cette comédie une dizaine de fois, ça n'avait jamais été aussi drôle qu'avec David. Il riait comme un petit enfant, et je le regardais du coin de l'œil, prenant autant de plaisir à ses rires qu'au film.

Vers la fin de la comédie, il s'est rendu compte que je l'observais.

— Qu'est-ce qu'il y a ? a-t-il dit en pressant la touche de pause. Pourquoi me regardes-tu comme ça ?

— Je ne sais pas. Tu me... Tu m'étonnes. Tu arrives toujours à prendre tant de plaisir à tout.

— Je suis un optimiste. Ça me rappelle : tu

connais l'histoire de l'optimiste qui est tombé d'un gratte-ciel ?

— Non, mais j'ai l'impression que je vais l'entendre bientôt.

— En arrivant au vingt-sixième étage, il a dit : « Jusque-là, tout va bien. »

— Tu vois ? C'est ce que je disais. Tu réussis à faire des blagues même quand ça va mal. J'aimerais être comme toi. Moi, je tiens le coup un certain temps, puis je retombe.

Je me suis approchée et j'ai pris sa main.

— Je m'excuse d'avoir agi comme je l'ai fait après la mort de Marie-Ange.

— Tu n'as pas besoin de t'excuser, Kim. Je sais à quel point sa mort a été difficile pour toi.

J'ai baissé les yeux.

— Si ça peut te faire du bien, le docteur Gendron a dit qu'elle est partie tout doucement et qu'elle souriait même.

— Ce n'est pas juste qu'une petite fille de cinq ans meure ! ai-je dit, les yeux pleins de larmes. Les médecins n'auraient pas pu faire plus pour la sauver ou la garder sous assistance respiratoire, je ne sais pas ?

— Je ne pense pas que la mère de Marie-Ange voulait ça. Moi, je ne le voudrais pas. J'ai dit à mes parents que je voulais m'en aller naturellement, ne pas végéter dans un hôpital.

— Je ne veux pas parler de ça. Je ne veux même pas y penser. On va vivre tous les deux jusqu'à cent cinquante ans.

— Exact, a-t-il dit. Je nous vois d'ici. On va avoir de beaux combats de boules de neige.

Madame Richard est revenue à six heures.

— David, je sais que vous vous amusez, mais je pense qu'il faudrait mieux que tu te reposes.

— C'est vrai, je suis peut-être un peu fatigué, a-t-il dit. Maman, voudrais-tu monter le chauffage ? Il fait froid ici.

— Il faut que j'aille préparer le souper, ai-je dit en me levant. Ma mère travaille tard, ce soir.

— Merci de ta visite, a dit David. Je me suis bien amusé.

— Moi aussi.

Et même si j'étais un peu gênée par la présence de madame Richard, je me suis penchée et je l'ai embrassé sur la joue.

Quand je me suis levée, il a touché mon coude.

— La prochaine fois, on essaie le deltaplane, d'accord ?

Sa voix n'était plus qu'un filet, comme s'il avait du mal à respirer.

— Pas de problème.

Les mots sont restés coincés dans ma gorge. Je savais maintenant qu'il était bien plus malade qu'il le laissait paraître.

— Salut, David. Je passerai te voir au manoir, demain.

La nuit était froide. Les rues étaient désertes et silencieuses. Pendant que j'attendais le feu vert au coin de la rue Sicard, j'ai entendu le hurlement d'une sirène, d'abord lointain, puis de plus en plus fort.

Tout à coup, le bruit a cessé, et j'ai frissonné autant de peur que de froid. Puis j'ai couru pour traverser les derniers blocs, déterminée à empêcher une idée épouvantable de s'installer dans mon esprit : ce hurlement de sirène était peut-être pour David.

À l'école, le lendemain après-midi, j'attendais la dernière sonnerie avec impatience. J'ai marché jusqu'au manoir sous la pluie battante, mais ça ne me dérangeait même pas d'être trempée. Je reprenais mon poste de bénévole, ce mercredi-là. Je m'étais arrangée avec Andrée, et j'avais hâte de revoir tout le monde. Je ne l'avais pas encore dit à David. Je voulais lui faire la surprise.

Une surprise m'attendait quand j'ai franchi la porte. Tous ceux qui participaient au groupe de soutien m'ont entourée. Tout le monde m'embrassait et parlait en même temps.

J'avais une énorme boule dans la gorge.

— Je suis contente de revenir. Vous m'avez manqué aussi ! Et… qui vous a donné l'idée de m'accueillir comme ça ? David, je suppose.

Un silence est tombé tout à coup.

— Euh… en réalité, c'est Andrée qui nous a annoncé ton retour, a dit Arthur.

— C'est gentil de sa part, ai-je dit distraitement. Dans quelle chambre est David ? Je voudrais lui dire bonjour tout de suite.

Aline a posé sa main sur mon bras.

— Kim, ils ont emmené David à l'hôpital cette nuit.

Des sueurs froides m'ont couvert le corps. La sirène, c'était pour David. Je me suis mise à trembler.

— Pourquoi à l'hôpital ? Qu'est-ce qui ne va pas ?

— On ne sait pas, a dit Aline. Je pense qu'il avait besoin d'une transfusion.

— Il en a déjà eu avant, ai-je dit en hochant la tête. Est-ce que... Est-ce que vous savez s'il va bien ?

— Madame Généreux a dit que son état est stable.

Je me suis détendue, soulagée.

— Ouf, vous m'avez vraiment fait peur.

— Viens t'asseoir, a dit Martine. Tu es toute blanche.

— Enlève ta veste et tes souliers mouillés, m'a conseillé Rachel. J'ai une nouvelle paire de bottes rouges qui devraient t'aller, si tu les veux.

Je l'ai regardée, étonnée. Est-ce que c'était la même Rachel qui ne voulait pas s'approcher de moi, il y a quelques semaines ?

— Tu en es sûre ?

— Évidemment que j'en suis sûre, a-t-elle répondu avec un grand sourire.

Au souper, je me suis assise à la petite table ronde des plus jeunes. Comme d'habitude, Roger posait des devinettes. Quand il donnait les réponses, je pouvais presque entendre Marie-Ange rire avec les autres.

J'ai fait le tour de la salle à manger des yeux. J'étais au milieu des enfants, de mes amis, des membres du personnel. L'endroit m'avait beaucoup manqué, je m'en rendais compte. Je me suis promis de ne plus jamais rompre le lien, quoi qu'il arrive.

C'est alors que le docteur Hardy est apparu à la porte de la salle à manger. Ses yeux ont rencontré les miens, et il m'a fait signe de le rejoindre. Quelque chose ne tournait pas rond, je le savais. Le cœur battant, je me suis levée et je l'ai suivi dans le hall.

Le docteur Hardy m'a pris les deux mains.

— J'arrive de l'hôpital, Kim. David veut te voir.

Sa voix était lugubre et son visage, grave.

— Qu'est-ce qui ne va pas ? ai-je crié. Dites-moi ce qui ne va pas !

CHAPITRE 14

— David a une hémorragie interne, a dit le docteur Hardy. Ça arrive parfois aux leucémiques.

« Non ! Non ! » ai-je pensé en silence.

— Ils peuvent lui faire des transfusions, non ? Il va s'en sortir ! Je sais qu'il va s'en sortir !

— Ils font tout ce qu'ils peuvent pour lui, Kim. Mais ils ne sont pas capables d'arrêter l'hémorragie.

La voix du docteur Hardy me semblait lointaine. On aurait dit que la salle apparaissait et disparaissait. Luttant pour garder mon sang-froid, j'ai serré mon poignet et j'ai enfoncé mes ongles dans ma paume. Si je perdais mes moyens, je savais qu'il ne me laisserait pas aller à l'hôpital.

— Est-ce que je peux le voir maintenant ? ai-je demandé en essayant d'empêcher ma voix de trembler.

Il m'a regardée avec attention.

— Tu t'en sens capable ?

J'ai respiré profondément.

— Oui. Je veux le voir. S'il vous plaît, est-ce qu'on peut y aller tout de suite ?

— Je vais t'amener. Va chercher ton manteau.

Le trajet jusqu'à l'hôpital n'est pas bien long, mais je me suis assise sur le bout du siège, comme si cela pouvait accélérer notre arrivée.

— On ne peut pas aller un peu plus vite ? ai-je demandé.

— Pas si on veut arriver en un seul morceau. Kim, il va falloir que tu te calmes.

— D'accord. Promis.

« David ! Tu ne peux pas mourir. Il faut que tu te battes. »

Pendant qu'on se dépêchait vers l'unité des soins oncologiques, ma colère a éclaté.

— Expliquez-moi pourquoi les nouveaux médicaments et les nouveaux traitements ne sont pas plus efficaces, ai-je demandé au docteur. Je pensais que la plupart des jeunes ne mouraient plus de la leucémie. Comment se fait-il que Marie-Ange n'a pas guéri ? Et David ? Pourquoi ?

Je savais que je parlais trop fort, mais je n'y pouvais rien.

— Nous avons fait de grands progrès, m'a répondu le docteur Hardy, le visage ravagé par la fatigue. Mais la leucémie est encore une maladie mortelle qui entraîne beaucoup de complications. Marie-Ange a attrapé une pneumonie. David a fait une hémorragie.

La porte de la chambre de David était ouverte et j'ai vu ses parents, debout à côté de son lit.

— Est-ce que je peux entrer ? ai-je demandé au docteur Hardy.

— Hé, je reconnais cette voix, a dit David. Entre, Kim.

J'ai regardé le docteur avec étonnement. La voix de David n'était pas celle d'un malade. Elle était peut-être faible et lasse, mais calme, presque gaie. J'ai poussé un soupir de soulagement en entrant.

Même si la pièce était très chaude, David portait une tuque enfoncée jusqu'aux oreilles. Les cernes sous ses yeux s'étaient encore agrandis, ses traits étaient tirés et son teint, terreux. Il était branché au goutte-à-goutte et à l'oxygène. À son chevet, les signaux sonores et réguliers du moniteur d'électrocardiogramme semblaient crier : « Je suis vivant ! Je suis encore là ! »

— Merci de l'avoir amenée, docteur Hardy, a dit David.

Ses parents m'ont adressé un sourire forcé.

— Allons prendre un café à la cafétéria, a dit madame Richard à son mari.

David a souri à sa mère.

— Juste quelques minutes, a-t-il dit d'une voix douce, et il s'est redressé pour l'enlacer. Merci, maman.

Quand ses parents et le docteur Hardy eurent quitté la chambre, David s'est laissé retomber sur les oreillers en soupirant. Il avait de la difficulté à respirer, et ses lèvres et ses doigts étaient bleus.

J'ai approché une chaise du lit et j'ai essayé de réchauffer sa main gelée dans la mienne.

— Comment te sens-tu ? lui ai-je demandé tout doucement.

— Très bien.

— Tu n'as pas besoin de faire semblant. De toute façon, tu n'es pas un menteur très convaincant.

— Tu as déjà entendu celle du menteur invétéré ?

— Tu es incroyable, ai-je dit en hochant la tête.

— Voilà : Un gars s'en va à la pêche. Un type s'approche de lui et lui demande comment ça va.

— Pas mal, lui répond-il. J'ai attrapé trente truites, ce matin.

— Est-ce que vous savez qui je suis ? lui demande le bonhomme.

— C'est le garde-pêche ? ai-je suggéré.

— Exact. Et le pêcheur lui dit :

— Et moi, vous savez qui je suis ? Je suis le plus grand menteur du comté.

— Pouah ! Je pense que c'est la pire blague que tu aies jamais racontée.

— Ce n'est pas ma faute. Elle vient du docteur Har…

Il s'est arrêté. Sa respiration était saccadée.

— Ne parle pas, David. Ne raconte pas de blagues. Garde tes forces.

— Les garder pour quoi ? a-t-il dit sans colère ni amertume, sans même paraître contrarié.

— David, il faut que tu te battes. Tu m'as dit que tu pouvais combattre cette chose. C'est toi qui m'as appris à lutter pour vivre, de tout mon cœur et de toute mon âme.

— Oui, et je le crois toujours. Mais je crois aussi qu'il faut savoir accepter.

Je me souvenais avec précision de ce qu'il m'avait dit un jour : « Moi, quand j'ai fini par accepter que j'étais leucémique et que je pouvais en mourir, je me suis senti moins impuissant. J'étais presque libéré. »

— Après un certain temps, on devient fatigué de lutter pour vivre, a continué David. Quand on a trouvé la paix intérieure, on peut s'en aller.

Ma voix tremblait et les larmes baignaient mon visage.

— Je ne veux pas que tu t'en ailles.

Je me suis levée pour aller chercher un mouchoir.

— Hé, j'aime tes bottes !

— C'est Rachel qui me les a prêtées, ai-je dit en les regardant. Je n'arrivais pas à le croire, David. Elle a appris que j'avais le sida et elle a paniqué. Elle ne voulait plus m'approcher. Et puis, tantôt, elle a offert de me prêter ses bottes.

— Je ne t'avais pas dit de laisser une chance aux gens ?

— C'est vrai. J'imagine que j'avais peur.

— Souviens-toi, tu n'as aucune raison d'avoir honte.

Je regardais la pluie tomber par la fenêtre. Les gouttes qui descendaient lentement le long de la vitre ressemblaient à des larmes. Au loin, le tonnerre grondait.

— Kim...

Sa voix n'était plus qu'un murmure.

— David ! ai-je crié en reprenant sa main. Ne lâche pas. Tiens bon. Il nous reste tant de choses à faire. S'il te plaît, ne m'abandonne pas.

— Je suis... si... fatigué, a-t-il dit, chaque mot lui soutirant un peu plus d'énergie.

Il n'y avait pas de peur sur son visage, seulement de la tranquillité.

— David, on va vivre jusqu'à cent cinquante ans, tu te souviens ?

Ma voix s'est brisée et je me suis dépêchée.

— S'il te plaît, David. Tu m'as promis d'être mon partenaire en patinage. Quand tu iras mieux, on ira au parc se lancer des balles et faire des anges dans la neige.

Une main s'est posée sur mon épaule.

— Kim, David voulait t'attendre pour s'en aller, a dit madame Richard. Dis-lui qu'il peut partir maintenant.

— Non ! Ils doivent faire quelque chose ! ai-je crié. Appelez le docteur Gendron. Ils doivent...

Madame Richard a passé son bras autour de ma taille.

— C'est fini, maintenant.

Je savais qu'elle avait raison. David était en paix avec lui-même. Il était prêt. Des larmes chaudes coulaient sur mes joues, mais je ne pleurais plus pour David, je pleurais sur moi, sur ma vie qui ne serait plus qu'un grand vide sans lui.

J'ai essayé de mémoriser chacun de ses traits, pour les garder dans mon cœur pour toujours. Puis j'ai respiré profondément.

— Ça va. Tu peux partir maintenant, si tu le veux.

C'étaient les paroles les plus difficiles que j'ai jamais prononcées.

— Adieu, David. Je t'aime.

Le samedi 17 avril

Chère Juliette,

L'enterrement de David a eu lieu aujourd'hui. C'était beau. Tout le monde du manoir était là, et beaucoup d'élèves de l'école aussi. Je pensais que ça serait très triste, mais après, on est restés ensemble, un bon groupe, à parler de David. Ils disaient tous qu'il les avait aidés, et tout le monde avait un souvenir à raconter. On s'est même souvenus de certaines de ses pires farces.

C'est bizarre. Je n'ai plus autant peur de mourir, maintenant. Je n'ai pas connu David longtemps, mais il m'a beaucoup appris.

Peut-être que j'ai maintenant le courage de dire à l'école que j'ai le sida. Je pense que David applaudirait. Je me souviens de ce qu'il m'a dit un jour : « Quelle est la pire chose qui pourrait t'arriver si on apprenait que tu as le sida ? Ils ne t'aimeraient pas ? » Il savait que j'avais le sida et il m'aimait quand même. Tu le sais, toi aussi, et tu m'aimes encore.

Je voudrais aujourd'hui avoir eu le courage d'affronter les gens de Clermont. Si je peux renseigner des jeunes sur le sida, peut-être que ma vie aura un sens. Maintenant, je peux vivre, au lieu d'attendre la mort.

À toi pour toujours,
Kim

Le lundi matin, avant de me rendre à l'école, j'ai pris l'autobus jusqu'au cimetière. J'ai gravi la légère élévation sur laquelle était la tombe de David.

J'ai posé un genou sur le sol humide, à côté de la nouvelle stèle de bronze et, avec un plantoir que j'avais apporté, j'ai creusé un trou pour le plant de fleurs jaunes que David m'avait donné.

« J'ai pensé qu'elles seraient mieux ici, ai-je dit. J'aimerais que tu voies comme elles ont poussé. »

Je me suis empli les poumons de l'air du printemps.

« Oh ! David, c'est affreux de penser que je ne verrai plus ton sourire, que je n'entendrai plus jamais ton rire ! »

J'ai essayé de faire passer la boule dans ma gorge.

« Tu as tenté de me faire comprendre ce qui arrivait à Marie-Ange, et je ne voulais pas t'entendre. Et quand on a regardé les films ensemble, l'autre jour, tu as essayé de m'avertir, de me préparer à ta mort. Mais je ne voulais rien voir. Aujourd'hui, je le peux. Je comprends, maintenant. »

Des larmes m'ont embrouillé les yeux, mais je les ai essuyées avec impatience.

« Je m'étais promis de ne pas pleurer, mais ce n'est pas facile... vraiment pas facile. J'avais même appris une blague idiote pour te la raconter, mais je l'ai oubliée.

« Tu serais fier de moi, David. J'ai décidé de dire tout haut que j'ai le sida. Aujourd'hui, après les cours, j'irai voir le directeur dans son bureau. Je vais lui annoncer que je veux parler aux élèves... et peut-être inviter le docteur Hardy à organiser un programme d'information sur le sida. C'est quelque chose que les gens doivent connaître. Comme ça, ceux qui viendront après moi n'auront peut-être pas à subir la même chose que moi.

« Hier soir, j'ai commencé à avoir peur. J'ai commencé à penser que c'était une idée idiote. Et si Somerval est comme Clermont ? Je sais que ce sera difficile de parler, mais ce sera aussi un soulagement. Comme tu le disais, je n'ai pas de raison d'avoir honte.

« De toute façon, je ne peux plus cacher qui je suis. Comme le disait la grenouille du film qu'on a vu ensemble : " Ce n'est pas facile d'être vert ", mais je vais courir ce risque. "

Je me suis relevée et j'ai redressé les épaules. « Tu as toujours dit que le vert m'allait bien. »

Vivre sans Julie

Élisa et Julie, quelle équipe!

Élisa et Julie, les jumelles identiques, se font remarquer dès leur arrivée à leur nouvelle école. Leur popularité grandit encore lorsqu'elles deviennent meneuses de claque.

Cette année scolaire promet d'être mémorable quand, tout à coup, tout bascule: Julie doit se faire traiter pour une tumeur au cerveau.

Élisa ne peut plus penser à autre chose qu'à sa jumelle. Elle se désintéresse de l'école et néglige ses amis pour passer son temps à prendre soin de Julie.

Élisa est prête à tout pour aider sa sœur à guérir. Il le faut parce que, si sa jumelle meurt, elle n'est pas sûre d'être capable d'affronter la vie toute seule.

*   *   *

Les yeux du cœur

Jessica voit la vie sous un autre jour...

La meilleure amie de Suzanne, Jessica, est jolie, intelligente et possède de véritables talents artistiques. Elle a tout pour attirer l'attention des autres.

Ce n'est pas facile d'avoir une amie telle que Jessica; quelquefois, Suzanne se sent plutôt moche par comparaison.

Un jour, Suzanne est le témoin impuissant d'un accident; Jessica se fait renverser par une voiture. Ses blessures ne sont pas graves, mais la cause de l'accident est bouleversante: Jessica, petit à petit, perd la vue.

Jessica s'éloigne de ses amis, de sa famille et surtout de sa passion: l'art. Elle se referme peu à peu sur elle-même.

Suzanne arrivera-t-elle à persuader Jessica que le talent d'une artiste ne réside pas dans ses yeux, mais dans son cœur?

Ma sœur, ma rivale

Aussi spéciale que Jasmine...

La sœur aînée d'Isabelle, Jasmine, est une fille parfaite. C'est du moins l'impression d'Isabelle. Son plus grand rêve est d'être un jour aussi spéciale que Jasmine.

Peu après son quatorzième anniversaire, les espoirs d'Isabelle s'écroulent : elle apprend qu'elle est atteinte d'une très grave maladie.

La maladie d'Isabelle a des répercussions sur sa famille, surtout sur Jasmine. Tout à coup, Jasmine ne se comporte plus comme la grande sœur idéale qu'elle a toujours été.

Au Manoir de l'Espoir, endroit où les jeunes gravement malades sont admis, Isabelle rencontre Éric, un survivant du cancer qui comprend ce qu'est la peur de la souffrance et de la maladie.

Avec l'aide d'Éric, Isabelle parvient à montrer à Jasmine, à ses parents et à elle-même que la perfection n'est pas aussi importante que l'amour.

* * *

L'enfer de Zabée

La vie de Zabée est un enfer...

Depuis des mois, elle ne pense qu'à s'empiffrer de nourriture pour ensuite la régurgiter. Mais lorsque la boulimie devient un danger mortel pour elle, on l'admet au Manoir de l'Espoir, une résidence destinée aux jeunes gravement malades.

Zabée n'accepte pas ce séjour forcé au manoir. Elle ne pense plus qu'à une chose : s'enfuir.

Lorsqu'elle apprend qu'une autre adolescente vient partager sa chambre, elle est furieuse. Et sa fureur redouble d'intensité à l'arrivée de Laurence Quesnel. Depuis sa plus tendre enfance, Zabée connaît cette belle fille chez qui la perfection semble innée. Et pourtant il s'avère que Laurence n'est pas aussi parfaite qu'on le croit : elle est anorexique.

Ces ennemies de toujours sont maintenant réunies dans un complot pour s'évader du manoir. L'aventure qui les a rapprochées va-t-elle mettre leur vie en danger ?

* * *

Adieu, ma seule amie !

Star est unique en son genre...

Star fait tout avec style et humour. Mais son imagination et son humour ne peuvent la protéger de la fibrose kystique, une maladie mortelle dont elle souffre depuis sa naissance.

À cause de sa maladie, Star n'est jamais allée à l'école ; elle n'a jamais été à la danse avec des filles de son âge ; elle n'a jamais eu d'amie.

Quand sa maladie s'aggrave, Star est admise au Manoir de l'Espoir. Et, c'est là qu'elle fait la connaissance de Corinne. Celle-ci est une des filles les plus populaires de son école ; elle a un amoureux ; elle est tout ce que Star a rêvé d'être.

Corinne a toujours été en bonne santé. Les malades la mettent mal à l'aise. Elle a très hâte de retrouver une vie normale. Star n'ose pas lui dire la vérité sur sa fibrose kystique.

Lorsque Corinne découvrira à quel point elle est malade, Star perdra-t-elle sa première grande amie ?

ACHEVÉ D'IMPRIMER
EN JUILLET 1995
SUR LES PRESSES DE
PAYETTE & SIMMS INC.
À SAINT-LAMBERT (Québec)